O GUIA COMPLETO DA
ASTROLOGIA

LOUISE EDINGTON

O GUIA COMPLETO DA
ASTROLOGIA

CONHEÇA A SI MESMO, SEU SIGNO
E SEU MAPA ASTRAL

Título original: *The Complete Guide to Astrology*
Copyright © 2020 por Rockridge Press, Emeryville, Califórnia
Copyright da tradução © 2022 por GMT Editores Ltda.

Originalmente publicado por Rockridge Press, selo da Callisto Media, Inc.

Todos os direitos reservados. Nenhuma parte deste livro pode ser utilizada ou reproduzida sob quaisquer meios existentes sem autorização por escrito dos editores.

tradução: Leonardo Abramowicz
preparo de originais: Emanoelle Veloso
revisão: Ana Grillo e Hermínia Totti
projeto gráfico e capa: Lisa Schreiber
adaptação de capa e de projeto gráfico: Ana Paula Daudt Brandão
impressão e acabamento: Bartira Gráfica

CIP-BRASIL. CATALOGAÇÃO NA PUBLICAÇÃO
SINDICATO NACIONAL DOS EDITORES DE LIVROS, RJ

E25g

    Edington, Louise
       O guia completo da astrologia / Louise Edington ; [tradução Leonardo Abramowicz]. - 1. ed. - Rio de Janeiro : Sextante, 2022.
       208 p. ; 23 cm.

    Tradução de: The complete guide to astrology
    ISBN 978-65-5564-267-4

       1. Astrologia. 2. Astrologia - Tabelas. 3. Mapa astrológico natal. I. Abramowicz, Leonardo. II. Título.

21-74495	CDD: 133.5
	CDU: 133.52

Leandra Felix da Cruz Candido - Bibliotecária - CRB-7/6135

Todos os direitos reservados, no Brasil, por
GMT Editores Ltda.
Rua Voluntários da Pátria, 45 – Gr. 1.404 – Botafogo
22270-000 – Rio de Janeiro – RJ
Tel.: (21) 2538-4100 – Fax: (21) 2286-9244
E-mail: atendimento@sextante.com.br
www.sextante.com.br

Dedico este livro à minha amiga Karen Krawczyk, que me iniciou no caminho para me tornar astróloga em 1989.

SUMÁRIO

INTRODUÇÃO 9

PARTE 1
OS ELEMENTOS BÁSICOS DA ASTROLOGIA 13

1 Uma base sobre a astrologia 15
2 Os quatro elementos e as três modalidades 23
3 Os signos solares 31
4 O ascendente e os decanatos 45
5 Planetas e outros corpos essenciais 71
6 Os aspectos 85
7 As casas 97

PARTE 2
COMPREENDENDO O MAPA ASTRAL 109

8 Estruturando o mapa astral 111
9 Interpretando o mapa astral 121
10 Examinando mais de perto 133

PARTE 3
SIGNOS SOLARES NO TRABALHO E NO AMOR   147
11 Sua vocação segundo o zodíaco   149
12 O amor segundo o zodíaco   167

PARTE 4
PRINCIPAIS CONCLUSÕES E
APÊNDICES ASTROLÓGICOS   195
13 Conclusão   197

GLOSSÁRIO   200
TABELAS ASTROLÓGICAS   202
LEITURA ADICIONAL   206
SOBRE A AUTORA   207

INTRODUÇÃO

O guia completo da astrologia foi escrito para todos, de iniciantes a praticantes e estudantes avançados. Neste livro pretendo abordar um vasto leque de informações de forma acessível e inclusiva.

Para mim o mapa astral é como um diagrama que mostra nosso potencial e nossas possibilidades. Você nunca me verá dizendo que algum signo ou posicionamento é totalmente bom ou ruim, e acredito que sempre é possível encontrar uma maneira de superar qualquer desafio ou obstáculo para o crescimento, a evolução e a compatibilidade. Este livro foi escrito partindo desse pressuposto. Todos somos feitos de nuances e temos a capacidade de definir de modo consciente como vamos agir, independentemente do nosso diagrama cósmico. Por isso não utilizo o desvio espiritual – isto é, o uso de práticas espirituais para evitar questões não resolvidas –; prefiro encarar minhas sombras e analisar como elas podem ser curadas ou integradas a ter que contorná-las.

Agora convido você a olhar para o tema do gênero de uma forma diferente. A linguagem astrológica tem sido tradicionalmente binária, usando rótulos de macho e fêmea, masculino e feminino. No entanto, nosso mapa astral ou diagrama cósmico contém todos os planetas e signos e, portanto, todos estão dentro de cada um de nós. O mapa astral não mostra o gênero, assim como este livro. Meu foco é na pessoa como um todo e em suas características, eliminando os identificadores binários. O conteúdo do livro apresenta uma base completa em áreas fundamentais da astrologia e faz uma abordagem radicalmente diferente da linguagem astrológica, pois entendemos que os corpos planetários e os signos são não binários por natureza.

Ao longo do texto adoto "dia" e "noite" para substituir masculino/macho e feminino/fêmea respectivamente, pois são termos menos limitantes. Falarei mais sobre o assunto no capítulo 1. Gostaria de agradecer ao astrólogo Jason Holley por me apresentar essa visão e a Robert Hand e Brian Clark por me ajudarem a expandi-la.

Os conceitos de dia e noite nos permitem fazer uma abordagem mais humanística da paisagem interior da alma. Portanto, embora este livro seja uma espécie de manual de instruções para ajudá-lo a interpretar o seu mapa, ele também faz um convite à reflexão sobre a necessidade de se adotar uma abordagem não binária em relação à linguagem.

EU SEMPRE AMEI ASTROLOGIA. Ainda tenho os textos que escrevi quando adolescente sobre as características dos signos solares. Mas foi só depois do meu primeiro retorno de Saturno, aos 29 anos (quando Saturno retorna à posição em que estava no mapa natal), que descobri o que realmente é a astrologia. Uma amiga fez meu mapa astral, me deu alguns livros e eu fiquei viciada. Isso foi em 1989.

Devorei aqueles livros, aprendi sozinha a fazer mapas astrais, comprei mais livros, assinei revistas e pratiquei com minhas amigas. Aí então me casei e tive filhos. Meu envolvimento com a astrologia diminuiu por alguns anos, mas nunca perdi o fascínio pelo assunto.

Em outubro de 2012, eu já havia mudado duas vezes de continente (do Reino Unido para a Austrália e dali para os Estados Unidos), meus filhos estavam com 15 e 13 anos e eu atuava como *coach* quando tive a revelação de que meu propósito era trabalhar com astrologia. Estudei muito e fiz diversos cursos para aprimorar meus conhecimentos; em pouco tempo comecei a atuar profissionalmente como astróloga. Ainda hoje sigo estudando, pois a astrologia é um labirinto glorioso e infinito em que sempre há mais para descobrir.

Já fiz milhares de leituras, ministrei aulas e escrevi artigos quase diariamente sobre o assunto. Em novembro de 2018 publiquei meu primeiro livro, *Modern Astrology: Harness the Stars to Discover Your Soul's True Purpose* (Astrologia moderna: Utilize as estrelas para descobrir o verdadeiro propósito de sua alma), que escrevi para ajudar os leitores em seu crescimento pessoal. Também pratico o xamanismo e sou ativista.

Tenho o Sol em Sagitário com um *stellium* em Sagitário na 11ª e 12ª casas, ascendente em Sagitário e Lua em Gêmeos. Para aqueles que já entendem os fundamentos da astrologia, isso mostra que sou escritora, professora e uma pessoa atraída pela justiça social e pela política, coisas que não posso deixar de trazer para o meu trabalho.

Este livro foi escrito tanto para aqueles que desejam iniciar quanto para os que querem aprofundar seu estudo astrológico, usando uma abordagem moderna e inclusiva. *O guia completo da astrologia* é para todos. Sejam bem-vindos.

Consulte o Glossário na página 200 para entender o significado de alguns termos utilizados ao longo do livro.

OS ELEMENTOS BÁSICOS DA
ASTROLOGIA

NA PARTE 1 veremos de forma sucinta a história da astrologia e o papel dela hoje. Descobriremos como olhar para a linguagem astrológica de uma nova maneira. Também trataremos de alguns dos elementos básicos da construção do mapa astral e de como você pode começar a interpretar o seu.

CAPÍTULO 1

Uma base sobre a astrologia

POR MILÊNIOS, A ASTROLOGIA tem sido utilizada para prever eventos. Mais recentemente, as pessoas começaram a usá-la como ferramenta de desenvolvimento e crescimento pessoal, na busca por compreender melhor seus padrões pessoais, suas crenças limitantes e seu potencial.

A astrologia pode nos ajudar a viver em alinhamento com os elementos e ciclos da natureza, a escolher o momento ideal para tudo – desde a agricultura até os relacionamentos e a carreira –, a mergulhar em uma exploração psicológica e até em lições de vidas passadas. Ela também pode nos ajudar a curar nossa desconexão com o Universo e a entrar em harmonia com os ciclos cósmicos que repercutem dentro de nós.

Em essência, a astrologia é uma ferramenta que nos conduz a um nível superior de conexão espiritual com o Universo, ajudando-nos a fazer escolhas conscientes para viver de acordo com nosso máximo potencial. Minha abordagem é humanística e psicológica, e meu foco é a paisagem interior. Cada um de nós tem todos os planetas e signos atuando dentro de si. Até hoje, a linguagem da astrologia expressou isso de forma inadequada, usando termos como "masculino" e "feminino". Mas os tempos estão mudando e nosso vocabulário precisa acompanhar essas mudanças.

Por que a astrologia funciona? Esta é uma pergunta eterna,

mas minha resposta é que ela funciona porque se baseia em milhares de anos de observação. Embora tenha passado por períodos de declínio, o estudo da astrologia sempre esteve presente na história humana, pois a interpretação competente dos movimentos do cosmos fornece respostas para o sentido da vida.

O QUE É ASTROLOGIA?

A astrologia é uma ciência antiga que utiliza a observação dos ciclos e movimentos planetários ao longo do tempo para registrar padrões e eventos desencadeados pelo movimento do cosmos.

Da mesma forma que as fases da Lua afetam as marés, os ciclos menstruais, outros ciclos biorrítmicos e nossas energias emocionais, somos afetados também por corpos cósmicos, luminares (o Sol e a Lua), planetas, asteroides, etc. Tudo no Universo está conectado, um fato há muito mencionado pelos astrólogos, mas que agora vem sendo reconhecido pelos cientistas que se baseiam na mecânica quântica, para a qual cada átomo afeta outros átomos. Segundo a mecânica quântica, tudo é feito de ondas e partículas e funciona de acordo com a teoria do entrelaçamento, que indica que nenhuma partícula é totalmente independente. Em suma, tudo no Universo funciona em conjunto, e o movimento dos corpos cósmicos ativa a energia dentro de nós e do mundo natural. Ou seja, estamos conectados com o Universo inteiro. Todas as energias se entrelaçam em uma dança intrincada de magia e ciência planetária; a linguagem da astrologia interpreta essa dança.

As raízes da astrologia remontam a milhares de anos. Os arqueólogos encontraram evidências de que os humanos podem ter observado os ciclos lunares desde os primórdios, como visto nas pinturas em cavernas. Algumas dessas evidências chegam até 30000 a.C.

Costuma-se dizer que a astrologia tem como referência os sistemas de calendário, mas eu diria que os sistemas de calendário é que são baseados no movimento dos corpos celestes – os primeiros calendários eram baseados no movimento do Sol, da estrela Sirius (calendário egípcio) ou da Lua (calendário grego).

Em outras palavras, a prática de testemunhar e registrar os ciclos planetários veio primeiro; e então, baseados no movimento do cosmos, vieram os sistemas de calendário. Isso significa que a astrologia está na raiz da vida de todos nós.

A astrologia evoluiu ao longo de milhares de anos e existem várias vertentes astrológicas diferentes, entre as quais a astrologia védica (Vedanga Jyotisha ou indiana), que se baseia no zodíaco sideral e não no zodíaco tropical utilizado pela astrologia ocidental; a astrologia chinesa, que se baseia em um ciclo de 12 anos; a astrologia helenística, uma tradição greco-romana praticada desde o século I a.C. até o século VII d.C. que atualmente passa por um renascimento; e a astrologia ocidental moderna, objeto de minha prática e que se baseia no zodíaco tropical. A astrologia ocidental teve origem na astrologia ptolomaica e babilônica, que adota uma abordagem mais psicológica e voltada para o desenvolvimento pessoal.

Entre as figuras-chave na história da astrologia estão Ptolomeu (século II d.C.), que escreveu um dos principais textos astrológicos, o *Tetrabiblos*; Carl Jung (1875-1961), que foi pioneiro no uso da astrologia no campo da psicologia; Alan Leo (1860-1917), chamado frequentemente de o pai da astrologia moderna; e Dane Rudhyar (1895-1985), um de meus favoritos, que cunhou o termo "astrologia humanística" e ajudou a criar as práticas astrológicas modernas.

Este livro se baseia na tradição ocidental moderna. Entretanto, todas as tradições são válidas e só diferem em sua abordagem – algumas sendo mais preditivas, como a védica, e outras adotando um tratamento mais individualista ou esotérico.

A astrologia ocidental moderna está centrada na criação de um mapa ou horóscopo feito para um tempo, data e lugar específicos usando o zodíaco tropical, que se baseia na relação simbólica entre a Terra e o Sol. O zodíaco tropical divide a eclíptica em 12 partes iguais de 30° cada (os signos) e segue a orientação das estações, com o zodíaco começando no equinócio vernal, quando o Sol se move para Áries. A eclíptica é uma linha imaginária, ou plano, no céu que marca o caminho anual do Sol ao longo do qual ocorrem os eclipses.

ORIGENS HISTÓRICAS DA ASTROLOGIA

Afora as primeiras evidências do registro dos ciclos lunares em pinturas rupestres e em ossos, a história escrita da astrologia efetivamente começou na Mesopotâmia, 6.000 anos atrás, com os sumérios que observavam os movimentos do cosmos, bem como com a astrologia védica, ou Jyotisha, que surgiu há pelo menos 5.000 anos na Índia.

Desde aproximadamente 2400 a 331 a.C., os babilônios, também conhecidos como caldeus, criaram a roda do zodíaco com planetas, as 12 casas representando as áreas da vida.

Depois que Alexandre, o Grande, conquistou os babilônios, os gregos desenvolveram ainda mais a astrologia, dando aos planetas e signos do zodíaco seus nomes modernos. Em 140 d.C., Ptolomeu publicou *Tetrabiblos,* texto que continha planetas, casas, aspectos e ângulos, técnicas que os astrólogos utilizam até hoje.

Ao longo dos séculos, o estudo e o uso da astrologia tiveram altos e baixos no Ocidente, mas floresceram na Idade Média, quando passaram a fazer parte da matemática, da astronomia e da medicina. Havia astrólogos da realeza e cátedras de astrologia nas universidades mais antigas.

Entretanto, conforme a Igreja ganhava poder, a astrologia declinava. O Iluminismo, incluindo o movimento de Reforma Protestante nos séculos XVII e XVIII, começou a promover a razão e o ceticismo, fazendo com que a astrologia passasse a ser considerada um mero entretenimento. Assim, foi perdendo popularidade aos poucos, até o seu ressurgimento no final do século XIX.

A ASTROLOGIA HOJE

A astrologia ocidental como a conhecemos hoje teve seu ressurgimento no final do século XIX. O teosofista Alan Leo geralmente recebe o crédito pelo início da renovação do interesse pela astrologia e pelo desenvolvimento de uma abordagem mais espiritual e esotérica. A teosofia é um ensinamento sobre Deus e o mundo baseado em percepções místicas. Alan Leo introduziu os conceitos de carma e reencarnação em seu trabalho como astrólogo e começou a se afastar da astrologia voltada para eventos na análise do caráter.

Outro teosofista, Dane Rudhyar, também esteve envolvido no ressurgimento. Ele, de fato, inaugurou a abordagem psicológica da astrologia e cunhou o termo "astrologia humanística". O trabalho de Rudhyar se baseou principalmente na teosofia e nas filosofias orientais e foi influenciado pela psicologia de Carl Jung. O trabalho de Rudhyar é a base de uma parcela significativa da astrologia desenvolvida nas décadas de 1960 e 1970.

Grande parte da astrologia moderna tem como foco o lado psicológico e humanístico, embora atualmente haja um ressurgimento de algumas técnicas mais antigas e preditivas, especialmente entre os astrólogos mais jovens.

As atribuições de gênero de planetas e signos são problemáticas no mundo moderno. O feminino era principalmente designado como passivo, receptivo, fraco, escuro e destrutivo, enquanto o masculino era tido como poderoso, voltado para a ação, iluminado, positivo e dominante – e não havia consideração de outros gêneros. Os nomes dos planetas baseiam-se nos panteões romano e grego, que eram de natureza inequivocamente patriarcal. Dos principais corpos celestes essenciais, apenas a Lua e Vênus foram designados como femininos. Isso não é verdade para muitas culturas mais antigas, em que os planetas eram vistos de forma diferente. Por exemplo, havia muitas

Seguidores famosos da astrologia

Ao longo da história, a astrologia foi popular entre líderes, governantes e outras pessoas famosas. Na Idade Média, papas católicos se interessavam pela astrologia e confiavam nas previsões e conselhos dos astrólogos para definir as datas de coroações e para ajudá-los a tomar decisões importantes.

Uma faculdade para astrólogos foi fundada em Paris por Carlos V; Catarina de Médici era conhecida por consultar Nostradamus; e Ronald e Nancy Reagan buscavam orientação de astrólogos regularmente.

J. P. Morgan foi um dos muitos líderes empresariais que consultavam a astrologia antes de tomar decisões de negócios. Certa ocasião, afirmou num depoimento no tribunal: "Milionários não têm astrólogos, bilionários sim." Além disso, o ex-secretário do Tesouro dos EUA, Donald Regan, disse certa vez: "É de conhecimento geral que uma grande porcentagem dos corretores de Wall Street usa astrologia." Outras celebridades e pessoas bastante conhecidas que consultaram astrólogos incluem Lady Gaga, Madonna, Albert Einstein e Theodore Roosevelt.

deusas do Sol em culturas antigas, e a Lua era muitas vezes considerada o esperma para o óvulo do Sol. Neste livro estou me afastando das definições binárias, pois somos todos o Sol e a Lua e outros corpos planetários, e cada corpo cósmico tem pontos fortes e fracos que não são específicos de gênero.

Aqui adotaremos e expandiremos a teoria de uma antiga técnica helenística chamada Seitas, que definia os planetas como diurnos (do dia) e noturnos (da noite). Neste sistema, o Sol, Júpiter e Saturno são diurnos, e Vênus, Marte e a Lua são noturnos. Mercúrio é tido como neutro, participando das duas Seitas. Seguindo a linha de alguns astrólogos atuais que trabalham para criar uma abordagem mais inclusiva e não binária na linguagem astrológica, utilizaremos as palavras "dia" e "noite". Essas denominações fazem sentido, pois o dia e a noite são visíveis – o dia é mais "yang", ou orientado para fora, e a noite é mais "yin", ou orientada para dentro. Como a tabela planetária da página 204 mostra claramente, os cinco planetas pessoais – Mercúrio, Vênus, Marte, Júpiter e Saturno – têm qualidades do dia e da noite, dependendo da energia do signo do regente tradicional. Isso acrescenta uma interpretação mais profunda, afastando-nos da linguagem inerentemente patriarcal e binária da astrologia que tem sido utilizada até hoje.

O sistema solar é um organismo vivo, respirando e pulsando, que inala (diurno) e exala (noturno), com todos os corpos planetários, signos, casas e aspectos tendo energia do dia/inalação ou energia da noite/exalação – às vezes ambas. Eu associo o dia com a energia da inalação, porque inalamos o sopro de vida para nos dar a energia de que precisamos para o dia. À noite liberamos ou exalamos para recarregar. Isso reflete o entrelaçamento quântico do sistema solar dentro de cada organismo vivo – e dentro de cada um de nós.

CAPÍTULO 2

Os quatro elementos e as três modalidades

NESTE CAPÍTULO vou examinar as três modalidades – cardinal, fixo e mutável – e os quatro elementos fundamentais – fogo, terra, ar e água – dos signos. As modalidades também são conhecidas como qualidades dos signos, ou seu *modus operandi* básico. As três modalidades incluem quatro signos astrológicos, um de cada elemento. Cada um dos quatro elementos corresponde a uma característica: o fogo representa o espírito, a água representa a emoção, o ar representa o intelecto e a terra representa o físico.

O zodíaco, como o próprio Universo, é composto desses quatro elementos, e na astrologia eles representam as características arquetípicas de uma pessoa. Assim como os luminares, planetas, asteroides e outros corpos cósmicos trabalham em alinhamento dentro de nós, o mesmo ocorre com os elementos. Além disso, eles trabalham em harmonia uns com os outros; portanto, tenha sempre em mente que todos os elementos estão contidos em todas as pessoas.

Cada elemento está conectado a três signos do zodíaco e aquele que for predominante em um horóscopo dá uma indicação clara de como uma pessoa reage, responde e se comporta. Uma análise do equilíbrio dos elementos no mapa astral dessa pessoa, por si só, pode dizer muito sobre as principais características dela.

Os quatro elementos são distribuídos nas quatro modalidades da seguinte forma:

Áries é Fogo Cardinal.
Touro é Terra Fixo.
Gêmeos é Ar Mutável.
Câncer é Água Cardinal.
Leão é Fogo Fixo.
Virgem é Terra Mutável.
Libra é Ar Cardinal.
Escorpião é Água Fixo.
Sagitário é Fogo Mutável.
Capricórnio é Terra Cardinal.
Aquário é Ar Fixo.
Peixes é Água Mutável.

A combinação dos elementos com as modalidades nos dá ainda mais informações sobre as principais características de uma pessoa. Por exemplo, Gêmeos é ar mutável e, portanto, é mais provável que seja muito inconstante; Libra é ar cardinal e mais propenso a iniciar novas ideias.

MODALIDADE CARDINAL

A primeira das três modalidades é a cardinal, que está associada aos quatro signos que iniciam cada quadrante do zodíaco natural: Áries, Câncer, Libra e Capricórnio. Áries e Libra são os signos cardinais do dia (ou inalação) e Câncer e Capricórnio são os signos da noite (ou exalação).

Como as modalidades representam o modo básico de operação de um signo, todos os signos cardinais são energias iniciantes que começam uma nova estação ou etapa da vida, e isso, portanto, se reflete em sua natureza. Os signos cardinais gostam de começar novos projetos. Eles são os pioneiros do zodíaco, mas talvez não tragam a perseverança necessária para a materialização de ideias e projetos.

MODALIDADE FIXO

A segunda das três modalidades é a modalidade fixo, que está associada aos quatro signos do meio de cada quadrante do zodíaco natural: Touro, Leão, Escorpião e Aquário. Aqui também temos dois signos da noite (ou exalação), Touro e Escorpião, e dois signos do dia (ou inalação), Leão e Aquário.

Os signos fixos fazem exatamente o que dizem que farão. A forma básica de comportamento é se fixar no local que foi iniciado pelos signos cardinais. Eles têm a perseverança para fazer com que efetivamente aconteçam os projetos, planos e ideias dos signos cardinais, ou iniciantes. Os signos fixos geralmente gostam de continuidade e têm aversão às mudanças. Mas a vida e o Universo estão sempre em movimento, o que nos leva à terceira modalidade.

MODALIDADE MUTÁVEL

A terceira das três modalidades é a mutável, que está associada aos quatro signos que terminam cada quadrante do zodíaco natural e que levam ao início do próximo: Gêmeos, Virgem, Sagitário e Peixes. Gêmeos e Sagitário são os signos do dia (ou inalação) e Virgem e Peixes são os signos da noite (ou exalação).

O horóscopo como roda medicinal

Os quatro elementos e os quatro signos da modalidade cardinal também têm sido utilizados nas culturas xamânicas há milênios como a roda medicinal, que representa as quatro direções cardeais convocadas na cerimônia e o início das estações. No hemisfério norte, o cardinal Áries (fogo) inicia a primavera, o cardinal Câncer (água) inicia o verão, o cardinal Libra (ar) inicia o outono e o cardinal Capricórnio (terra) inicia o inverno. No hemisfério sul é o inverso.

As quatro direções também representam etapas da vida: nascimento (leste, fogo, novos começos), juventude (sul, água, inocência emocional e confiança), idade adulta (oeste, terra, energia física) e velhice (norte, ar, sabedoria). Portanto, o horóscopo como um todo pode ser considerado uma roda medicinal ou um arco sagrado da vida com o qual se alinhar. Observe que essa é apenas uma das maneiras de se encarar isso, pois diferentes tradições do xamanismo olham para a roda da vida de forma distinta.

As estações do ano se alinham com as estações da vida por meio do nascimento (primavera), juventude (verão), idade adulta (outono) e velhice (inverno). Tudo se conecta em uma grande mandala da criação.

Como o próprio nome sugere, os signos mutáveis são muito flexíveis, alteráveis e versáteis. Geralmente conseguem ver todos os lados das questões e lidam bem quando a vida lhes traz mudanças. No entanto, podem facilmente perder o foco e o propósito na vida e são propensos a sofrer da "síndrome do objeto brilhante" e a se distraírem com facilidade.

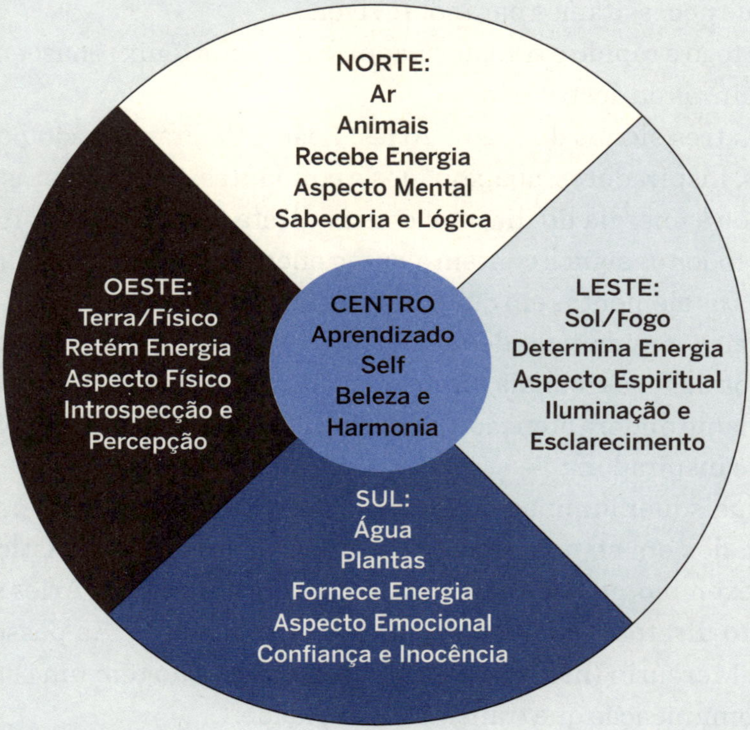

NORTE:
Ar
Animais
Recebe Energia
Aspecto Mental
Sabedoria e Lógica

OESTE:
Terra/Físico
Retém Energia
Aspecto Físico
Introspecção e
Percepção

CENTRO
Aprendizado
Self
Beleza e
Harmonia

LESTE:
Sol/Fogo
Determina Energia
Aspecto Espiritual
Iluminação e
Esclarecimento

SUL:
Água
Plantas
Fornece Energia
Aspecto Emocional
Confiança e Inocência

FOGO

O fogo é a energia da transformação e da ação e é a energia do dia (inalação). À medida que inalamos vida, respiramos para ganhar energia. Também expandimos nossos pulmões na inalação: os signos e planetas do fogo são expansivos e extrovertidos. O fogo é calor e movimento. Pense na energia das chamas, enquanto as observa tremeluzir e dançar, e você terá uma sensação do elemento fogo. O Sol fornece à Terra e à humanidade o calor e a luz de que necessitamos para sobreviver.

O fogo é rápido e transformador, como uma fênix renascendo das cinzas da destruição.

Os três signos do fogo – Áries, Leão e Sagitário – são positivos, inspiradores, apaixonados e confiantes. Estão mais associados à energia do dia, que é mais direta e voltada para fora, mas todos os signos contêm alguma energia do fogo, pois somos todos os elementos em quantidades diferentes.

Áries, regido pelo deus guerreiro Marte, é o primeiro dos signos do fogo e o mais direto e focado. Leão, regido pelo Sol, é confiante e adora atenção. Sagitário, regido por Júpiter, é expansivo e inspirador.

Quaisquer luminares, planetas, asteroides ou ângulos posicionados em signos do fogo assumirão essas características. Por exemplo, aqueles com Vênus (valores e amor) em Áries são muito diretos e guerreiros nos relacionamentos. As pessoas com Mercúrio (mente e comunicação) em Leão têm um estilo de comunicação que transmite autoridade.

ÁGUA

A água é a energia da receptividade e da emoção e é uma energia da noite (exalação). A água, como as emoções, é fluida e inconstante. A água constitui uma grande porcentagem do corpo humano e pode-se dizer que é o elemento mais crucial. Câncer, Escorpião e Peixes são os três signos da água; todos são energias profundamente intuitivas e criativas.

A Lua rege Câncer e está associada à nutrição e à maternidade. Plutão rege Escorpião, o que reflete a profundidade deste signo e está associado à obsessão e às profundezas psicológicas. Netuno rege Peixes e está associado a todos os estados meditativos ou alterados, assim como à conexão com o inconsciente coletivo ou energia espiritual.

Quaisquer posicionamentos nos signos da água assumem uma energia mais fluida. Alguém com Mercúrio (mente e comunicação) em Câncer, por exemplo, recebe informações instintivamente e as retém em um nível profundo, pois Câncer é uma energia receptiva da noite.

AR △

O ar é a energia da mente ou pensamento e é uma energia do dia (inalação). É a respiração e o vento. Não podemos segurar a respiração; ela flui para dentro e para fora, e o vento é necessário para impedir que o ar ao nosso redor fique estagnado. Gêmeos, Libra e Aquário são os três signos do ar, e são signos do pensamento, das ideias, da sociabilidade e da análise. Os signos do ar estão associados à racionalidade e ao lado direito do cérebro.

Gêmeos, regido por Mercúrio, está associado à dualidade e ao aprendizado. Libra, regido por Vênus, está associado à diplomacia, aos relacionamentos e à mediação. Aquário é regido por Urano e está associado ao intelecto superior, à inventividade, à inovação e à internet, por causa de sua conectividade de pensamentos, ideias e pessoas.

Quaisquer posicionamentos nos signos do ar assumem qualidades mais arejadas. Alguém com Marte (motivação e vontade) em Gêmeos, por exemplo, aprende rapidamente e fala de forma muito acelerada e direta.

TERRA ▽

A terra é a energia do mundo material, que você pode tocar e sentir. A terra é estável, prática e paciente, e é uma energia da noite (exalação). Touro, Virgem e Capricórnio são os três signos da terra e são os signos do trabalho árduo, da construção, da criação de coisas materiais e da conexão com o mundo material e suas estruturas.

Os signos da terra são sensuais, têm qualidades criativas e estão ligados aos ciclos da natureza, bem como ao ciclo humano de nascimento, vida e morte.

Touro, regido por Vênus, é o mais conectado com o mundo material e a própria Terra. Virgem, regido por Mercúrio, é mais conectado com o mundo técnico e os ofícios. Capricórnio, regido por Saturno, é o pioneiro dos signos da terra e é voltado à liderança e realização.

Quaisquer posicionamentos nos signos da terra terão essas características. Por exemplo, alguém com Marte (motivação e vontade) em Touro será mais lento e ponderado do que alguém com Marte no signo da liderança, Áries, que é muito veloz e direto.

CAPÍTULO 3

Os signos solares ☉

NESTE CAPÍTULO discutirei os 12 signos solares do zodíaco. Na astrologia contemporânea os signos solares representam o *self* e pode-se dizer que representam o nosso ego. Os signos solares são a parte do *self* que quase todo mundo conhece e a energia primária que alimenta o nosso ser. Fornecerei palavras-chaves, detalhes técnicos – como o planeta regente – e alguns fatos divertidos sobre cada signo. Analisaremos as dualidades (noite/feminino/yin ou dia/masculino/yang) nesta seção. Veremos a sequência dos signos representando o ciclo da vida humana, do nascimento (Áries) até o fim da vida (Peixes), para que você adquira uma compreensão mais profunda de como os signos funcionam em seu interior. Mas lembre-se: todos temos energia de cada signo dentro de nós, não importa qual seja o nosso signo solar.

ÁRIES ♈

Áries é o primeiro signo do zodíaco e é considerado pela maioria como o início do ano astrológico. O ingresso (ou movimento) do Sol em Áries sinaliza o equinócio da primavera no hemisfério norte, o equinócio de outono no hemisfério sul, e Áries é o primeiro signo no horóscopo natural, regendo assim a primeira casa.

O signo abrange os primeiros 30° do zodíaco e o Sol transita por este signo a partir do equinócio aproximadamente de 21 de março a 20 de abril. Essas datas mudam de acordo com o movimento real do Sol no céu, sob nossa ótica aqui na Terra.

Áries é um signo cardinal do fogo e do dia, regido por Marte, o deus da guerra, e representa a juventude, que está muito voltada para si. O símbolo de Áries é o carneiro, e seu glifo representa os chifres do animal. Áries está em polaridade com Libra, um signo do ar, o que significa que são complementares e que trabalham bem juntos. A palavra-chave dominante para Áries é "**Eu sou**", o que significa que tudo gira em torno do *self* e que os arianos gostam de vir em primeiro lugar. Áries rege a cabeça e os olhos. Vermelho é a cor associada a Áries, diamante é a pedra dos que nascem nesse signo e seu metal é o ferro.

As características mais agradáveis dos arianos é que são dinâmicos, pioneiros e vistos como líderes pelos outros. Intimamente têm um interesse próprio saudável e são muito corajosos. Podem apresentar uma tendência a ser agressivos e reativos se sua franqueza não for moderada. Outros os consideram impacientes, rápidos nas decisões e ousados.

Lady Gaga, Elton John, Nancy Pelosi e Leonardo da Vinci nasceram sob o signo de Áries.

TOURO ♉

O segundo signo do zodíaco é Touro. O Sol transita por este signo entre aproximadamente 21 de abril e 20 de maio e é o regente da segunda casa.

Touro é um signo fixo da terra e da noite e é regido por Vênus em sua encarnação no mundo material como deusa do visível. Da mesma forma que Áries, este signo é representado por um animal com chifres, o touro, indicando que os dois primeiros signos são muito francos, diretos e que "entram de cabeça nas coisas". O glifo do Touro retrata a cabeça e os chifres do animal. Touro representa o estágio da vida em que se tem consciência da conexão com o mundo físico.

Escorpião é o signo em polaridade com Touro e os dois se complementam bem. Como o touro forte e sólido que representa o signo, a palavra-chave dominante para Touro é "**construir**", pois os nascidos neste signo adoram desenvolver tudo o que perdura no tempo. O signo de Touro está associado à garganta e às cordas vocais, a pedra preciosa mais associada a ele é a esmeralda – mas por ser o mais material dos signos, Touro também está associado às safiras – e seu metal é o cobre.

Os taurinos incorporam a sabedoria animal, pois possuem sentidos apurados e são sensuais, práticos e leais. Em seu íntimo são profundamente alicerçados, pacientes e firmes, mas isso também faz com que tenham tendência a ser teimosos e excessivamente materialistas na busca por segurança. Alguns consideram o Touro estável e sem pretensões.

A rainha Elizabeth II, Mark Zuckerberg e Dwayne Johnson, o The Rock, nasceram sob o signo de Touro (o apelido "The Rock" é realmente emblemático do signo, pois as rochas são do elemento terra).

GÊMEOS ♊

Gêmeos abrange os terceiros 30° do zodíaco. O Sol transita por este signo entre aproximadamente 21 de maio e 20 de junho, e Gêmeos rege a terceira casa do zodíaco.

Gêmeos é um signo mutável do ar e do dia e é um dos dois signos regidos por Mercúrio em sua encarnação de mente/mensageiro. Simboliza e é representado por um glifo de gêmeos que estão ao mesmo tempo separados e conectados. Corresponde ao estágio da vida em que começamos a nos comunicar verbalmente e a perceber nossa conexão e nossa separação um do outro.

Sagitário é o signo em polaridade com Gêmeos. Existem algumas pedras preciosas que dão sorte ao signo; as pedras amarelas costumam estar entre elas, como a ágata, o citrino e o âmbar. Não é nenhuma surpresa que o metal da sorte de Gêmeos seja o próprio mercúrio. Gêmeos está associado ao tórax, pulmões, sistema nervoso, braços e ombros.

Gêmeos é o **pensador** e simboliza a mente, a voz e a comunicação. Sua vida interior é curiosa, observadora, frequentemente dispersa e pode ser altamente tensa. Os geminianos são considerados sociais e verbalmente expressivos, mas às vezes manipuladores e dúbios.

John F. Kennedy, Donald Trump, Paul McCartney, Prince e Bob Dylan nasceram sob o signo de Gêmeos.

CÂNCER ♋

Câncer é o quarto signo do zodíaco. Entre aproximadamente 21 de junho e 20 de julho o Sol transita por esse signo.

Câncer é um signo cardinal da água e da noite. O signo é representado pelo caranguejo e seu glifo são as duas pinças em posição de proteção. Isso já diz muito sobre a energia do signo de Câncer, pois os cancerianos são principalmente introvertidos e protetores. A polaridade para Câncer é o signo da terra de Capricórnio. O metal da sorte e as pedras preciosas associadas ao signo refletem seu regente, a Lua: o metal é a prata e as pedras são a selenita, a pérola e o quartzo branco. Câncer está associado ao estômago, tórax e peito.

"**Sentir**" é a palavra principal para o signo e os cancerianos são todos movidos pela emoção e intuição. Câncer é o nutridor

> ## Previsões astrológicas populares
>
> As previsões astrológicas que aparecem em sites on-line e em revistas e jornais são a análise do mapa para cada um dos signos e são de natureza geral. No entanto são válidos, especialmente se você conhece seu ascendente e pode ler a previsão para esse signo, além do signo solar.
>
> Essas previsões, quando bem-feitas, analisam os principais trânsitos dos planetas no momento e como eles afetam cada casa astrológica após posicionar o signo solar na cúspide da primeira casa em um mapa para aquele tempo específico.
>
> Por exemplo, se Plutão está em trânsito por Capricórnio e sendo ativado por outros trânsitos, e você tem um sol de Libra, isso significa que a previsão se baseará em um mapa com seu sol de Libra na cúspide da primeira casa. Esse mapa mostrará então Plutão transitando em sua terceira casa, já que Capricórnio é o terceiro signo depois de Libra. Esta pode não ser a terceira casa real em seu mapa astral, mas ainda assim mostrará alguma ressonância.
>
> Caso seja ascendente em Libra, então a previsão será de modo geral sobre as áreas da vida contidas em sua própria terceira casa. Ou seja, se você gosta de ler previsões gerais, seria benéfico conhecer o seu ascendente.

do zodíaco e muito voltado para a tradição e a família. Em seu íntimo, o signo é extremamente sensível e tem tendência a ser inseguro e a se doar demais, a ponto de ignorar as próprias necessidades. São considerados receptivos e amorosos, mas também podem ser temperamentais.

A princesa Diana, o Dalai Lama, Tom Cruise e Meryl Streep nasceram sob o signo de Câncer.

LEÃO ♌

O quinto signo do zodíaco é Leão. O Sol transita pelo signo de Leão entre aproximadamente 21 de julho e 20 de agosto.

Leão é um signo fixo do fogo e do dia e regido pelo Sol. O leão é o símbolo deste signo real e o glifo representa a cabeça e a juba. O signo da polaridade é Aquário. Como era de esperar, o ouro é o metal associado a Leão e suas pedras da sorte têm as cores dourada e âmbar, como o próprio âmbar, olho de tigre e topázio amarelo. Leão rege o coração, a coluna e a parte superior das costas.

Os leoninos nascem para **liderar** e esta é a sua principal palavra. Quer sejam rei, rainha ou líder em sua própria casa, os leoninos nascem para brilhar e encantar. Sentem muita necessidade de atenção e costumam ser melodramáticos e superiores quando não são notados. Por outro lado, os leoninos são dinâmicos, autoconfiantes e brincalhões. São também magnéticos e afetuosos e iluminam a vida das pessoas ao redor porque carregam dentro deles o brilho do Sol.

Barack Obama, Bill Clinton, Madonna e James Baldwin nasceram sob o signo de Leão.

VIRGEM ♍

O sexto signo do zodíaco é Virgem. O Sol transita pelo signo entre aproximadamente 21 de agosto e 20 de setembro.

Virgem é um signo mutável da terra e da noite, o segundo a ser regido por Mercúrio, mas em uma encarnação mais técnica, voltada para o detalhe e a prática. O signo é representado pela donzela, ou virgem, significando, neste caso, "aquela que é inteira e completa em si mesma". Seu glifo se assemelha à letra M, de "moça", carregando um feixe de trigo para representar a colheita. Isso faz referência a um estado de ser que reflete as energias de Virgem, e não a um gênero. Peixes é o signo em polaridade. Da mesma forma que Gêmeos, o outro signo regido por Mercúrio, o metal de Virgem é o próprio mercúrio e suas pedras da sorte são safira, jade e jaspe. O sistema digestivo e o baço estão associados a Virgem.

A energia de Virgem incorpora o princípio de servir, pois as pessoas deste signo adoram se sentir úteis no mundo. Os virginianos são atentos aos detalhes e bastante analíticos. Seu mundo interior costuma ser autocrítico e preocupado. Podem tender à servidão em vez de servir, e esquecem de cuidar de si próprios no processo. Muitos consideram os virginianos éticos e organizados, embora eu ache que é quase um mito o fato de os virginianos serem sempre organizados. Isso ocorre, em parte, porque suas tendências perfeccionistas podem levar à paralisia por excesso de análise. "**Analisar**" é a palavra principal para Virgem.

O príncipe Harry, Madre Teresa de Calcutá, Bernie Sanders e Freddie Mercury nasceram sob o signo de Virgem.

LIBRA ♎

Libra é o sétimo signo do zodíaco. A temporada de Libra tem o Sol transitando pelo signo entre aproximadamente 21 de setembro e 20 de outubro.

Libra é um signo cardinal do ar e do dia, e regido por Vênus em sua encarnação mais cerebral. O símbolo de Libra é a balança e seu glifo reflete o equilíbrio e o sol poente à medida que entramos no outono no hemisfério norte (ou o sol nascente no hemisfério sul). Áries é o signo da polaridade. Peridoto e topázio são suas pedras da sorte e seu metal associado é o cobre. Os rins, a pele, a parte inferior das costas e as nádegas são regidos por Libra.

Diferentes usos da astrologia

Embora este livro trate da astrologia natal, é importante observar que ela tem muitos usos, que podem ser explorados tanto separadamente quanto em conjunto com o mapa astral.

ASTROLOGIA MUNDANA é a astrologia de acontecimentos, organizações, eleições, países e eventos climáticos. A palavra "mundana" vem do latim *mundanus*, significando "deste mundo". Qualquer evento ou organização tem um mapa de seu início, que é lido de forma semelhante ao mapa astral.

ASTROLOGIA FINANCEIRA é uma especialização que prevê eventos e ciclos financeiros.

ASTROLOGIA HORÁRIA é uma ferramenta utilizada para responder a uma questão específica com base no momento em que uma pergunta é feita. Essa técnica é usada para qualquer situação em que uma pergunta possa ser feita, como "Onde estão minhas chaves?".

ASTROLOGIA MÉDICA é utilizada para diagnosticar e tratar doenças e pode também ser usada para prevenção, pois é capaz de mostrar áreas com pontos fracos na saúde de uma pessoa.

ASTROCARTOGRAFIA, OU ASTROLOGIA DE LOCALIZAÇÃO, é baseada nas linhas planetárias desenhadas ao redor do globo para indicar como uma faceta da vida de uma pessoa é aumentada ou diminuída por viver em um local específico.

"**Equilíbrio**" é a palavra principal para os librianos, porque tentam encontrar o meio-termo e o equilíbrio harmonioso em tudo o que fazem. Libra é o diplomata e mediador do zodíaco. Por causa disso podem parecer indecisos, vacilantes e até passivo-

-agressivos às vezes. Em geral, aparecem como justos, amantes da paz e criativos. Em seu íntimo estão focados nos outros e nos relacionamentos.

Exemplos de librianos conhecidos são Mahatma Gandhi, Serena Williams, Will Smith e Oscar Wilde.

ESCORPIÃO ♏

É o regente da oitava casa e, portanto, o oitavo signo do zodíaco. O Sol transita pelo signo de Escorpião entre aproximadamente 21 de outubro e 20 de novembro.

Escorpião é um signo fixo da água e da noite regido por Plutão (moderno) e Marte (tradicional). Um signo profundo e complexo, cujos símbolo e glifo representam o escorpião, com o ferrão sugerindo a natureza potencialmente contundente do escorpiano. No entanto, como um signo altamente complexo e transformador, o Escorpião também é associado à serpente, um símbolo da transformação, e à fênix, um símbolo do renascimento. Touro é o signo da polaridade. Ferro e aço são seus metais associados e rubi e granada são as pedras da sorte. Escorpião rege o sistema reprodutivo e os órgãos sexuais.

"**Desejo**" é a palavra principal para Escorpião, pois reflete a profundidade emocional e a complexidade deste signo atraente e reservado. Os escorpianos são considerados magnéticos, poderosos e, às vezes, intimidantes pelos outros. Em seu íntimo, podem ser taciturnos e obsessivos, mas também profundamente instintivos e psicológicos. Quando conseguem mergulhar nas questões da vida mais emocionalmente intensas, os escorpianos são capazes de se conectar com seu verdadeiro poder.

Pablo Picasso, Hedy Lamarr, RuPaul, Leonardo DiCaprio, Lisa Bonet e John Gotti nasceram sob o signo de Escorpião.

SAGITÁRIO ♐

O signo regente da nona casa é Sagitário. O Sol transita pelo signo entre aproximadamente 21 de novembro e 20 de dezembro.

Sagitário é um signo mutável do fogo e do dia regido por Júpiter. Seu glifo é uma seta apontando para as estrelas e reflete o símbolo do centauro arqueiro, que é metade humano e metade cavalo. Tanto o glifo quanto o símbolo refletem a energia visionária com pensamento de futuro do signo. Gêmeos é o signo em polaridade. Sagitário rege os quadris, a coxa e o fígado. Turquesa e ametista são as pedras da sorte para os sagitarianos e seu metal é o estanho.

"**Vagar**" e "**maravilhar-se**" são as principais palavras para os sagitarianos, pois eles gostam de vagar – física e mentalmente – costumam viver maravilhados com o mundo. Sagitário é aquele que busca a verdade e a liberdade e adora todo tipo de exploração. Muitas vezes são considerados ingênuos, motivacionais e eternos otimistas. Voltados para questões espirituais e visionários, eles têm a habilidade de ver o panorama geral da vida. Se o sagitariano abraçar a vida como uma busca por experiência e verdade, sua tendência à ingenuidade pode se tornar uma sabedoria superior.

Walt Disney, Jane Fonda, Jimi Hendrix, Jay-Z e Gianni Versace nasceram sob o signo de Sagitário.

CAPRICÓRNIO ♑

O décimo signo do zodíaco é Capricórnio, regido por Saturno. O Sol transita pelo signo entre aproximadamente 21 de dezembro e 20 de janeiro.

Capricórnio é um signo cardinal da terra e da noite. O símbolo é a cabra marinha e o glifo representa o casco da cabra com a cauda de peixe – esse lado mais suave de Capricórnio foi perdido em muitos textos astrológicos. A polaridade do signo é Câncer. Capricórnio rege o sistema ósseo, os dentes e as articulações. Seu metal é o chumbo e sua pedra é o rubi.

A principal palavra para Capricórnio é "**realizar**". Os capricornianos são focados em galgar a escadaria do sucesso, mas podem apresentar a tendência de fazê-lo baseados nas expectativas do mundo exterior em vez de usar uma base de autoconfiança, que é onde entra a cauda do peixe. Capricórnio é tido como responsável e determinado, mas também, por vezes, controlador e temeroso. Em seu íntimo, embora o capricorniano seja trabalhador e cumpridor da lei, há muitas vezes um medo subjacente de nunca ser o suficiente. Sua capacidade de dedicação e liderança é seu ponto forte.

Jeff Bezos, Elvis Presley, Michelle Obama e Betty White nasceram sob o signo de Capricórnio.

AQUÁRIO ♒

O regente da 11ª casa do zodíaco é Aquário. O Sol transita pelo signo de Aquário entre aproximadamente 21 de janeiro e 20 de fevereiro.

Aquário é um signo fixo do ar e do dia regido por Urano (moderno) e Saturno (tradicional). Embora o símbolo para Aquário seja o aguadeiro, o que seu glifo realmente representa são ondas de energia – o símbolo mostra espírito ou energia sendo derramados dos céus. Isso indica a natureza sobrenatural do signo. A polaridade do signo é Leão. O metal associado é o chumbo e suas pedras são obsidiana e safira. Aquário rege as panturrilhas, os tornozelos e o sistema nervoso.

Os aquarianos são os individualistas do zodíaco e sua principal palavra é "**saber**". Por vezes são considerados os esquisitos do zodíaco, pois são imprevisíveis, inventivos e originais por natureza. Os aquarianos são socialmente conscientes e dedicados a causas e reformas, mas também podem ser emocionalmente distantes e até mesmo anarquistas. Como frequentemente se sentem alienados das pessoas ao redor, muitas vezes são tentados a trair suas convicções para se encaixar, mas seu caminho é abraçar sua verdade pessoal, não importa o que pensem.

Oprah Winfrey, Bob Marley, Ellen DeGeneres e Franklin D. Roosevelt nasceram sob o signo de Aquário.

PEIXES ♓

O 12º e último signo do zodíaco é Peixes. Por volta de 21 de fevereiro a 20 de março o Sol transita pelo signo de Peixes.

Peixes é um signo mutável da água e da noite. Seu símbolo é o peixe e seu glifo representa dois peixes nadando em direções diferentes, mas conectados por um cordão. Se olharmos para o zodíaco como o caminho do desenvolvimento humano, Peixes é a hora da morte e a hora antes do nascimento, o líquido amniótico. Fins e começos. Netuno (moderno) e Júpiter (tradicional) são os regentes. A polaridade do signo é Virgem. Peixes rege os pés, o sistema linfático e o terceiro olho. As pedras correspondentes a este signo são diamante branco, água-marinha e ametista, e o metal é o estanho.

Peixes é o signo mais espiritual e compassivo e sua principal palavra é "**acreditar**". São considerados seres altamente sensíveis, criativos e místicos. Os piscianos muitas vezes têm dificuldades em estabelecer limites e são extremamente empáticos, o que pode fazer com que caiam no papel de vítima ou mártir. Como o símbolo do peixe nadando em duas direções, a lição de Peixes é viver no reino do visível e do místico. Se puderem se sentir à vontade sendo um agente do espírito no reino físico, eles evitarão as tendências escapistas e viciantes às quais podem recorrer ocasionalmente.

Fred Rogers (Mr. Rogers), Dr. Seuss, Ruth Bader Ginsburg e Kurt Cobain nasceram sob o signo de Peixes.

CAPÍTULO 4

O ascendente e os decanatos

NESTE CAPÍTULO discutirei os 12 signos ascendentes do zodíaco, também chamados apenas de ascendentes. O ascendente é o signo que estava no horizonte oriental no momento de seu nascimento e é o ângulo das nove horas no mapa astral. Mais precisamente, é onde a linha ou plano do horizonte cruza o plano da eclíptica (que é o plano aparente do Sol ao longo do ano visto sob nossa ótica). Consulte os Apêndices Astrológicos (ver página 206) para recursos sobre como encontrar o seu ascendente.

O ascendente é a forma como as pessoas o veem quando o conhecem e aquilo que você apresenta aos outros, geralmente chamado de "persona" ou "máscara" – prefiro o termo "recepcionista", mas qualquer um deles funciona. É o aspecto mais visível de uma pessoa quando ela aparece no mundo, a primeira impressão que os outros têm de você. Também representa os condicionantes trazidos pelo seu nascimento e primeira infância. Tudo o que você é foi filtrado pelo ascendente. A hora exata do nascimento é necessária para calcular com precisão o signo ascendente, pois este se baseia naquela data, hora e local.

Todo mapa tem um planeta regente, e o planeta que rege o signo ascendente é o planeta regente da pessoa. Por exemplo, se o mapa tem Sagitário ascendente, o planeta regente é Júpiter. O planeta regente é um dos planetas mais importantes em qualquer mapa. O posicionamento desse planeta, e de quaisquer planetas que estejam em conjunção ou perto do ascendente, modifica a energia do ascendente. Analisando tudo isso em conjunto é como começamos a criar a imagem de um indivíduo, pois embora todas as pessoas com o mesmo signo ascendente sejam semelhantes, cada um de nós é único – e isso fica visível quando começamos a interpretar o mapa inteiro.

Também veremos os decanatos de cada signo. Todo signo abrange o intervalo de 30° na circunferência do zodíaco e pode ser dividido em três seções de 10°, chamadas decanatos. Existem dois sistemas de decanatos. Utilizarei o sistema de triplicidade, que atribui o mesmo elemento do signo a cada decanato. Os primeiros 10° pertencem ao próprio signo, ou seja, Áries/Áries. Os 10° seguintes pertencem ao próximo signo na mesma triplicidade ou elemento, ou seja, Áries/Leão, e os terceiros 10° pertencem ao signo restante na triplicidade, ou seja, Áries/Sagitário. O outro sistema de decanatos é o sistema caldeu, que atribui um dos sete planetas visíveis como regente de cada decanato de 10°. Esse sistema é menos usado na astrologia moderna.

O ASCENDENTE

Vamos analisar mais detalhadamente os ascendentes para cada signo do zodíaco. Quaisquer descrições físicas ou características são baseadas principalmente na observação dos astrólogos ao longo do tempo. As características físicas e outras que descrevo no livro se baseiam em generalidades e não devem ser consideradas características definidoras.

Ascendente em Áries ♈

O ascendente em Áries é um signo do dia, tornando as pessoas muito ativas e diretas. Normalmente são ágeis nos movimentos e voltadas para esportes e atividades competitivas – embora sua competitividade seja, em geral, autodirigida. Muitas vezes mergulham direto nas coisas e vão atrás do que querem sem ter pensado bem antes. A pessoa com ascendente em Áries faz tudo a toda a velocidade e gosta de estar em movimento.

Em geral são indivíduos considerados pioneiros e líderes, embora tenham dificuldade para terminar o que começaram. Não há dúvida quando um ascendente em Áries deseja se relacionar com você, seja como amigo ou algo mais. Sua franqueza é positiva, mas pode ser opressora para alguns.

Marte é o planeta regente para os nascidos com este ascendente e o seu posicionamento fornece ainda mais informações sobre como essa pessoa age no mundo. Além disso, quaisquer planetas próximos ao ascendente vão amenizar essa energia. Por exemplo, Saturno realmente freará a energia acelerada do signo ascendente.

Rihanna, John Lennon e Samantha Fox nasceram com o ascendente em Áries.

Ascendente em Touro ♉

Sempre penso nas pessoas com ascendente em Touro como uma árvore fortemente enraizada com um tronco grande e largo, pois são firmes e sólidas, imóveis se outros tentam movê-las. Na forma como se apresentam, costumam ter uma aparência robusta e geralmente gostam de se vestir com roupas de qualidade, mas nada exagerado. Têm uma presença muito calmante, o que as torna uma ótima companhia, a menos que você tente pressioná-las. No entanto, são extremamente leais, a ponto de verem os outros quase como pertencendo a elas.

O indivíduo com ascendente em Touro, um signo da noite,

se move em um ritmo constante e não gosta de ser pressionado ou apressado. Tudo neles é sobre sensualidade, no sentido de que são atraídos por cheiros, sabores, sons e toques agradáveis. Também têm uma voz suave.

Seu planeta regente é Vênus, e o posicionamento de Vênus no mapa de uma pessoa dirá mais sobre esse indivíduo específico. Por exemplo, se Vênus estiver em Gêmeos, isso pode torná-lo mais flexível do que sugeriria somente o ascendente em Touro. Vênus em Gêmeos pode aumentar a sua sociabilidade e a probabilidade de usar a voz agradável de alguma maneira, como para cantar. Os planetas em conjunção com o ascendente também modificam a energia.

Martin Luther King, Boy George e Miley Cyrus nasceram com o ascendente em Touro.

Ascendente em Gêmeos ♊

Os indivíduos com ascendente em Gêmeos são altamente sociais, mas este é o mais caótico dos signos ascendentes. O signo de gêmeos pode argumentar de ambos os lados de qualquer assunto, tornando-os grandes debatedores, mas isso os faz parecer dúbios, o que pode representar uma dificuldade para alguns signos mais sensíveis.

Pessoas com ascendente em Gêmeos são infinitamente curiosas e espirituosas, e é uma alegria tê-las por perto em um ambiente de socialização. Seus períodos de atenção são curtos; portanto, espere que eles passem para a próxima coisa muito rapidamente. Essa inquietação às vezes lhes dá uma aparência externa nervosa, pois estão constantemente inquietos. Costumam ser bem esbeltos na aparência e muitas vezes têm longos dedos, que você geralmente vê mexendo em alguma coisa enquanto conversam. São muito bons em multitarefa, de forma que, embora possam parecer aéreos e distraídos, nem sempre é o caso.

Mercúrio é o planeta regente de Gêmeos e o seu posicionamento diz mais sobre a pessoa do que o signo ascendente sozinho. Um planeta em conjunção com o ascendente também pode moderar a energia do signo. Por exemplo, Plutão em conjunção com o ascendente em Gêmeos trará uma intensidade e profundidade não vistas em todas as pessoas com este ascendente.

Bruce Springsteen, Ricky Martin e Gene Wilder nasceram com este signo ascendente.

Ascendente em Câncer ♋

Os indivíduos nascidos com o ascendente em Câncer, um signo da noite, são almas altamente sensíveis e amorosas, as pessoas mais gentis e acolhedoras. Da mesma forma que o caranguejo, que é o símbolo de Câncer, eles são tímidos e protetores, preferindo silenciosamente deslizar para o lado em qualquer espaço. Também têm tendência para o mau humor, podendo se refugiar em sua concha ou ficar carentes quando seu humor estiver para baixo. São frequentemente descritos como "radiantes" e muitas vezes considerados atraentes. Como Câncer rege o estômago, também podem apresentar a tendência de ganhar peso e de ter problemas digestivos quando se sentem sobrecarregados.

Sua natureza empática do tipo "esponjosa" contribui para isso. As pessoas com ascendente em Câncer sentem tudo e todos ao redor e podem se beneficiar de aprender maneiras de proteger sua energia quando em contato com outros, para não entrarem no modo eremita rabugento.

A Lua é o planeta regente de Câncer e isso representa energia maternal ou nutridora, o que explica por que outras pessoas recorrem aos ascendentes em Câncer em busca de atenção quando necessário. Entretanto, o posicionamento da Lua no mapa de alguém com ascendente em Câncer fornece um nível mais profundo de compreensão da pessoa. Por exemplo, aqueles que têm a Lua em Áries serão mais inclinados a querer que os outros expressem suas emoções diretamente e a fazerem isso eles mesmos.

Angelina Jolie, Julia Roberts, Tyra Banks e John Travolta têm ascendente em Câncer.

Ascendente em Leão ♌

As pessoas com ascendente em Leão são regidas pelo Sol e isso se mostra em sua aparência, já que muitas vezes têm cabelos em forma de juba e um rosto radiante e arredondado. São magnéticos e iluminam qualquer sala quando entram, causando uma impressão imediata. São teatrais e expansivos e adoram atenção. Às vezes são barulhentos, por vezes autoritários, mas sempre imperiosos. Não raro se vestem para atrair a atenção.

O ponto menos positivo de tudo é quando não recebem a atenção e adulação que procuram; sua criança interior pode ficar mandona e ter acessos de raiva. As pessoas com ascendente em Leão são criançonas em seu íntimo e na verdade só querem ser amadas e inspecionar seu reino com benevolência. São melhores como líderes do que como trabalhadores, embora às vezes tendam à imprudência.

O Sol é o centro de nosso sistema solar e todos os planetas e a Terra giram em torno dele; isso também sugere o caráter do indivíduo com ascendente em Leão. Essas pessoas tendem a pensar que o mundo gira em torno delas, o que costuma acontecer. Como planeta regente, o posicionamento do Sol e o de quaisquer planetas próximos ao ascendente modificam a energia do ascendente. Um sol em Virgem, por exemplo, será muito menos exuberante do que alguns outros posicionamentos.

Muhammad Ali, Tina Turner, Meryl Streep e George W. Bush nasceram com ascendente em Leão.

A persona

"Persona" é um termo usado para descrever o signo ascendente. Foi um termo desenvolvido pelo psiquiatra suíço Carl Jung, que o caracterizou como "uma espécie de máscara, concebida por um lado para causar uma impressão definitiva sobre as outras pessoas e, por outro, para esconder a verdadeira natureza do indivíduo".

Jung e a maioria dos astrólogos ocidentais modernos veem o ascendente através desta lente. Geralmente nos identificamos mais com nosso ascendente quando jovens e começamos o processo de individuação à medida que amadurecemos. É inteiramente possível superidentificar-se com a adaptação social do ascendente e mascarar nosso eu autêntico por meio de uma superadaptação à imagem externa.

Como a persona, em termos junguianos, é a imagem pública, muitas vezes encontramos pessoas públicas superidentificadas com sua imagem pública.

Citando Jung: "Pode-se dizer, com um pouco de exagero, que a persona é aquilo que na realidade não somos, mas que nós mesmos, assim como os outros, pensamos que somos."

A astrologia procura incentivar a pessoa a se individualizar além da persona.

Ascendente em Virgem ♍

As pessoas com ascendente em Virgem são as analisadoras e preocupadas do zodíaco. Na infância pode ter havido um pai ou mãe obcecado por sua saúde, peso e aparência, o que as deixa com certa meticulosidade nessas questões. Por hesitarem e analisarem situações e por serem bastante tímidas, podem parecer reservadas e distantes, mas ficam mais calorosas à medida que você as conhece. Ao conhecê-las, você descobrirá que o desejo natural de ajudar os outros as torna amigas leais.

A tendência de analisar em excesso e buscar a perfeição as torna propensas à ansiedade, especialmente se não estiverem ocupadas com projetos e se não puderem ter tudo em uma ordem que lhes agrade. Geralmente se vestem bem e parecem um pouco tensas.

Como um signo mutável, não têm fixação em suas ideias, mas precisam reavaliar as evidências antes de mudarem. "**Modéstia**" é uma ótima palavra para as pessoas com ascendente em Virgem, e elas geralmente têm um comportamento amável.

Mercúrio é o regente de Virgem e o seu posicionamento e o de quaisquer planetas próximos ao ascendente modificam a energia do signo. Por exemplo, se Mercúrio estiver no signo fixo de Escorpião, sua natureza investigativa será muito mais penetrante, assim como sua tendência crítica.

Woody Allen, Hugh Hefner, Oscar Wilde e Betty Ford nasceram com ascendente em Virgem.

Ascendente em Libra ♎

Os indivíduos com ascendente em Libra são muito agradáveis e encantadores para se ter por perto. Eles não gostam de conflitos e por isso sempre procuram mediar e jogar limpo. Em geral são atraentes de se olhar e possuem uma aparência adorável, doce e roliça que aumenta seu charme. Frequentemente são esbeltos. As pessoas simplesmente se sentem atraídas pelos indivíduos com ascendente em Libra, e eles gostam de se relacionar porque tendem a se ver através dos olhos dos outros e acham difícil ficar sozinhos.

Também têm tendência a ter um traço passivo-agressivo em relacionamentos, pois podem esperar que os outros satisfaçam expectativas irrealistas. Isso é resultado de sua conhecida indecisão, pois constantemente tentam equilibrar a balança de Libra considerando todos os lados.

O planeta regente dos indivíduos com ascendente em Libra é Vênus em sua energia menos visível de beleza amorosa, relacionamento e harmonia. O posicionamento de Vênus e quaisquer planetas próximos ao ascendente modificam o signo ascendente. Se Marte estiver em conjunção com o ascendente, por exemplo, a tendência à agressão passiva será realçada.

Jennifer Aniston, Leonardo DiCaprio, Sally Field (seu famoso discurso de aceitação do Oscar "vocês realmente gostam de mim?" é clássico do ascendente em Libra) e Venus Williams têm o ascendente em Libra.

Ascendente em Escorpião ♏

Magnético, intimidante e intenso são palavras que descrevem aqueles com ascendente em Escorpião, um signo da noite. São muito discretos e até mesmo reservados sobre sua vida interior, o que cria uma mística em torno deles. Em geral têm uma aparência ligeiramente taciturna, com olhos penetrantes. As pessoas com ascendente em Escorpião abordam tudo com intensidade, muitas vezes ao ponto da obsessão. Elas se aprofundam em tudo e têm características investigativas penetrantes, parecendo, inclusive, ver a alma dos outros.

Por causa de sua característica muito reservada, frequentemente têm problemas para expressar – às vezes até para si mesmos – o profundo redemoinho de emoções que sua natureza intensa traz. No entanto, emanam um poder profundo e geralmente são apaixonados e criativos em tudo o que fazem.

Plutão é o planeta regente das pessoas com ascendente em Escorpião e o posicionamento de Plutão modifica o signo ascendente. Por exemplo, alguém com Plutão na terceira casa terá maior probabilidade de ser conversador e menos focado. Os pla-

O Descendente

O ponto de polaridade para o signo ascendente é o descendente, ou cúspide da sétima casa, que é o signo que estava no horizonte ocidental na data, hora e local de nascimento.

O descendente é uma consideração importante ao explorar o tipo de pessoa pelo qual você se sente atraído e quem você atrai em todos os relacionamentos significativos. Também pode indicar pontos cegos em seu interior que você quer desenvolver pessoalmente por meio de parcerias. Pode-se dizer que seu ascendente é energia do dia, ou que você põe para fora no mundo, e o descendente é energia da noite, ou que você recebe de outros por meio de relacionamentos.

Os pontos cegos que o descendente representa são chamados de *"self* rejeitado". Em outras palavras, vemos algo nos outros que nos irrita até identificarmos que é na verdade uma parte de nós que precisa ser reconhecida. Por exemplo, se você tiver Aquário como descendente, pode achar irritante que seu parceiro seja desapegado emocionalmente, mas uma vez que se dê conta disso, será capaz de perceber que o desapego é algo que precisa trabalhar dentro de si mesmo. Isso pode ser um grande despertar. Em outras palavras, o que parecia distanciamento pode se tornar uma sensação de liberdade. Isso também é conhecido como trabalho de espelho, em que transmutamos quaisquer qualidades irritantes em traços positivos a serem desenvolvidos. Este é um fator importante a ser considerado ao examinar a compatibilidade.

netas em conjunção com o ascendente também modificam o impacto do signo ascendente.

Aretha Franklin, David Lynch, Robin Williams e Prince nasceram com o ascendente em Escorpião.

Ascendente em Sagitário ♐

Pessoas com ascendente em Sagitário são divertidas e amantes da liberdade. Mostram um ar de entusiasmo e otimismo a respeito da vida que poucos signos ascendentes têm. São aventureiros e estão sempre buscando experiências que enriquecerão suas vidas, às vezes viajando muito e morando em lugares diferentes de onde nasceram. Também viajam na mente e muitas vezes têm uma grande biblioteca ou muitos livros na cabeceira da cama.

Os nascidos sob este signo ascendente são muitas vezes tão cheios de entusiasmo e opiniões adquiridas em suas explorações que costumam mostrar falta de tato e dizer coisas erradas na hora errada. No entanto, sua simpatia e senso de humor em geral os impedem de se meter em muitos problemas. Também são considerados um pouco ingênuos.

Na aparência costumam ser bem altos e esguios e estão em movimento a maior parte do tempo, como se tivessem pressa de chegar à próxima experiência – o que provavelmente é verdade.

O planeta regente do ascendente em Sagitário é Júpiter e o posicionamento deste ou de outros planetas próximos ao ascendente modifica o signo. Saturno no ascendente, por exemplo, torna essa pessoa menos extrovertida e mais inclinada a parecer séria.

Jamie Lee Curtis, Arsenio Hall, princesa Diana e Hans Christian Andersen nasceram com ascendente em Sagitário.

Ascendente em Capricórnio ♑

As pessoas com ascendente em Capricórnio são as mais ambiciosas do zodíaco e são muito sérias e dedicadas ao trabalho. Definitivamente não são os animais festeiros do zodíaco. Entretanto, costumam ter um humor seco e um *timing* perfeito. Sua aparência em geral é esguia e bastante angular, com olhos brilhantes e muitas vezes se vestem com roupas sofisticadas e sérias, preferindo tons de terra.

Pelo comportamento sério, as pessoas com ascendente em Capricórnio podem parecer bastante frias emocionalmente, embora na verdade não sejam – apenas não costumam demonstrar suas emoções. Esses indivíduos podem ter passado por uma infância difícil ou recebido muitas responsabilidades cedo na vida. Muitas vezes se soltam com a idade. Essas pessoas tendem a gostar de segurança e de ser as provedoras da família e do parceiro, mas há também uma tendência subjacente de medo de não ser ou de não fazer o suficiente.

Saturno é o planeta regente para Capricórnio e tanto o seu posicionamento quanto quaisquer outros planetas próximos ao ascendente modificam a energia do signo ascendente. Por exemplo, se Saturno estiver em Peixes, a pessoa será mais intuitiva e conectada com seu lado criativo.

A rainha Elizabeth II, Jane Fonda, Taylor Swift e Joseph Stalin nasceram com o ascendente em Capricórnio.

Ascendente em Aquário ♒

Os nascidos com ascendente em Aquário, um signo do dia, são peculiares, curiosos e um pouco rebeldes. São simpáticos e adoram um bom encontro intelectual, especialmente se envolver o assunto de como salvar o mundo, ou pelo menos uma parte do mundo. Também gostam de debates e atuam bem como advogados do diabo. São humanitários, muitas vezes idealistas e voltados para o futuro, e conseguem pintar sua visão de como seria um mundo mais igualitário de um ponto de vista progressista, já que geralmente desejam uma verdadeira "comunhão humanitária" para pessoas de todas as convicções. Parecem bastante distantes emocionalmente, ao mesmo tempo que se preocupam com o mundo como ativistas.

As pessoas com ascendente em Aquário geralmente têm uma aparência juvenil com estatura média e tendem a se sentir atraídos por roupas consideradas extravagantes ou, de alguma forma, peculiares.

Urano é o planeta regente de Aquário e o seu posicionamento modifica o signo ascendente, assim como quaisquer planetas próximos ao ascendente. Por exemplo, se a Lua estiver próxima ao ascendente, as pessoas podem ser um pouco mais afetuosas e mais envolvidas emocionalmente.

Barack Obama, David Bowie, Nicki Minaj e Carl Jung nasceram com o ascendente em Aquário.

Ascendente em Peixes ♓

As pessoas com ascendente em Peixes são as sonhadoras do zodíaco, pois parecem flutuar no mundo da fantasia e são muito coração mole e compassivas. Como um signo mutável da água, aqueles com ascendente em peixes refletem muito as pessoas ao redor e são esponjas empáticas, muitas vezes tendo uma qualidade de mudança de forma a espelhar os que estão próximos. São imaginativos e criativos e um dos signos ascendentes menos enraizados, de modo que funcionam melhor com relacionamentos que os estabilizam, já que são suscetíveis a pessoas manipuladoras.

Por causa de sua extrema sensibilidade, são muitas vezes vulneráveis a medicamentos de todos os tipos. Também podem ser propensos à depressão, pois o mundo não faz jus aos seus sonhos e ideais. Geralmente são bonitos e têm uma aparência cintilante e etérea que é encantadora para a maioria. As pessoas querem protegê-los.

O planeta regente do ascendente em Peixes é Netuno e o seu posicionamento modifica a forma como o signo ascendente funciona. Por exemplo, Netuno em Touro significa que a pessoa está mais enraizada e conectada com coisas terrenas. Os planetas próximos ao ascendente também modificam o funcionamento do signo ascendente.

Michael Jackson, Whitney Houston, Robert Redford (a criação do Sundance, um importante festival de cinema independente, é um exemplo clássico) e Bruno Mars têm ascendente em Peixes.

DECANATOS

Um decanato é uma subdivisão de 10° de um signo astrológico. Os decanatos são complexos e têm sido desenvolvidos desde os tempos egípcios, quando foram inicialmente baseados em 36 estrelas fixas, dividindo 360° em 36 seções. Esses decanatos foram mesclados com os 12 signos do zodíaco no século I d.C., quando as tradições egípcias e mesopotâmicas convergiram.

A partir daí surgiram dois sistemas. Aqui exploraremos o sistema da triplicidade para dar mais informações a respeito de cada pessoa. Cada uma terá seu sol em um decanato, o que aprofunda a compreensão desse posicionamento. As datas em cada decanato têm como referência a sua data de nascimento.

Os decanatos de Áries

O primeiro decanato, regido por Marte, é o decanato de Áries. As pessoas nascidas sob este decanato são as verdadeiras pioneiras do zodíaco e são muito voltadas para a ação, motivadas e corajosas. Encaram a vida com a alegria de uma criança e possuem uma adorável inocência em seu entusiasmo. Você está neste decanato se o seu sol estiver entre 0° e 9° de Áries, e as datas aproximadas vão de 21 de março a 31 de março.

O segundo decanato de Áries é regido pelo Sol e é o decanato de Leão. O Sol e Leão trazem uma natureza régia para essas pessoas, que gostam de brilhar no mundo e receber muita atenção. A qualidade fixa de Leão traz uma certa natureza inamovível à energia de liderança deste decanato, o que significa que as pessoas se apegam aos seus objetivos, não importa o que os outros queiram. Essa pode ser a energia do líder pomposo. Você está neste decanato se o seu sol estiver entre 10° e 19° de Áries, e as datas aproximadas vão de 1º de abril a 11 de abril.

O terceiro decanato de Áries é regido por Júpiter e é o decanato de Sagitário. Júpiter traz expansividade e busca de qualidade ao signo de Áries. A energia de Áries é geralmente focada, mas este decanato gosta de explorar e buscar sua verdade pessoal. São indivíduos que seguem seus próprios caminhos. Você está neste decanato se o seu sol estiver entre 20° e 29° de Áries e as datas aproximadas vão de 12 de abril a 21 de abril.

Os decanatos de Touro

O primeiro decanato, regido por Vênus, é o decanato de Touro. Os indivíduos são estáveis e muito conectados com a Terra e o mundo material. Esse decanato tem um conhecimento corporal muito instintivo, o que significa que adoram alimentar o corpo com boa comida, coisas que são táteis e coisas que geralmente os fazem se sentir bem. Excesso de indulgência e inflexibilidade podem ser o lado negativo dessa energia, mas as pessoas têm uma presença muito pacífica e amorosa e são normalmente muito sensuais e sexuais. Você está neste decanato se o seu sol estiver entre 0° e 9° de Touro, e as datas aproximadas vão de 22 de abril a 1º de maio.

O segundo decanato é regido por Mercúrio e é o decanato de Virgem. A influência de Mercúrio e Virgem traz mais flexibilidade para a energia geralmente teimosa de Touro. Essas pessoas são pragmáticas e realistas, mas de uma maneira muito tranquila e despretensiosa. A sensibilidade de Virgem e Mercúrio pode fazer com que pareçam enfadonhos para pessoas com natureza mais visionária e idealista, pois são aqueles que sempre dirão aos outros que eles não vivem na realidade. Você está neste decanato se o seu sol estiver de 10° a 19° de Touro, e as datas aproximadas vão de 2 de maio a 11 de maio.

O terceiro decanato de Touro é regido por Saturno e é o decanato de Capricórnio. Essas pessoas estão um pouco mais afastadas da energia tolerante de Touro, pois podem estar ocupadas demais construindo e subindo na vida para aproveitar os frutos de seu trabalho – embora ainda gostem de possuir as boas coisas da vida. Têm uma presença mais austera e podem parecer enfadonhas para alguns. No entanto, são mestres construtores de estruturas sólidas e duradouras na vida, seja uma carreira, uma base de operações ou uma família. Quando você começa a conhecer a pessoa por trás desta ânsia de construir, ela pode ser bastante divertida e sensual sob a superfície. Você está neste decanato se o seu sol estiver entre 20° e 29° de Touro, e as datas aproximadas vão de 12 de maio a 21 de maio.

Os decanatos de Gêmeos

O primeiro decanato de Gêmeos é regido por Mercúrio e é o decanato de Gêmeos. Os nascidos com o sol neste decanato são extremamente curiosos e você sempre os encontrará recebendo informações de várias fontes. Também são suscetíveis a se dispersar e a facilmente se distrair enquanto passam de um lugar para outro. Isso também é conhecido como Síndrome do Objeto Brilhante. Sua mente é muito rápida e eles conseguem dar sentido a muitas informações de forma imparcial, mas por causa de sua tendência a se distrair com facilidade, raramente se aprofundam em qualquer assunto. Você está neste decanato se o seu sol estiver entre 0° e 9° de Gêmeos, e as datas aproximadas vão de 22 de maio a 1º de junho.

O segundo decanato de Gêmeos é regido por Vênus e é o decanato de Libra. São indivíduos sociais que querem estar por perto e conversar com outros tanto quanto possível. Da mesma forma que todos os geminianos, são curiosos e querem saber tudo sobre você e o que o motiva. Sua curiosidade natural também os leva a estudar arte ou as maravilhas da natureza, por exemplo. No entanto, têm a tendência de se ver pelos olhos dos outros, e isso pode dificultar a tomada de decisões sem a participação de outras pessoas. São realmente bons mediadores, pois veem o que há de bom nas pessoas e conseguem apresentar isso ao outro lado em uma negociação. Você está neste decanato se o seu sol estiver entre 10° e 19° de Gêmeos, e as datas aproximadas vão de 2 de junho a 11 de junho.

O terceiro decanato de Gêmeos é regido por Urano e é o decanato de Aquário. Estes são os pensadores que veem o quadro geral e que são capazes de criar conceitos inovadores. São os mais distantes emocionalmente e podem, por esse motivo, parecer afastados dos outros. Porém, isso é porque têm uma visão panorâmica e veem as conexões necessárias para ajudar a humanidade como um todo. Sua amplitude de conhecimento é enorme e sua visão é como um quebra-cabeça gigante montado com peças aparentemente díspares. Em geral são muito amigáveis, mas preferem conversar sobre algumas grandes ideias a se envolver em conversa fiada. Você está neste decanato se o seu sol estiver entre 20° e 29° de Gêmeos, e as datas aproximadas vão de 12 de junho a 21 de junho.

Os decanatos de Câncer

O primeiro decanato de Câncer é regido pela Lua e é o decanato de Câncer. Isso faz com que as pessoas sejam extremamente sensíveis e compassivas, que nutrem e cuidam de quem amam com capacidade infinita de conexão emocional. No entanto, o posicionamento pode levar a identificarem-se com este papel a tal ponto que elas nunca comunicam suas necessidades emocionais. Pode gerar insegurança e um comportamento emocionalmente manipulador. Também são propensas a achar difícil se livrar de mágoas passadas. Amam com intensidade, o que pode ser reconfortante para alguns e opressor para outros. Você está neste decanato se o seu sol estiver entre 0° e 9° de Câncer, e as datas aproximadas vão de 22 de junho a 1º de julho.

O segundo decanato de Câncer é regido por Plutão e é o decanato de Escorpião. As emoções dessas pessoas são tão profundas quanto o mais profundo oceano e, como as profundezas do oceano, essas emoções podem ser difíceis de acessar e expressar. Por causa disso, podem parecer quase sem emoções e sua reserva natural contribui nesse sentido. Mas trata-se apenas de uma impressão superficial, pois a realidade é totalmente oposta. Elas sentem tão profundamente que estão dispostas a fazer qualquer coisa por aqueles que amam, a ponto de sacrificar a si próprias. A intensidade de Escorpião também pode torná-las possessivas com aqueles que amam, mas são ótimas ouvintes e conseguem abrir espaço para os outros como ninguém. Você está neste decanato se o seu sol estiver entre 10° e 19° de Câncer, e as datas aproximadas vão de 2 de julho a 11 de julho.

O terceiro decanato de Câncer é regido por Netuno e é o decanato de Peixes. São as pessoas mais sensíveis e gentis que você pode encontrar. Elas têm uma presença muito etérea, pois seu humor se altera em resposta a tudo o que está ao redor. Muitas vezes é difícil saber o que realmente sentem, e elas próprias nem sempre sabem. Da mesma forma que os do primeiro decanato, são incansáveis ao cuidar daqueles que amam, mas há a adição de uma tendência a se sentirem como vítimas quando acham que os outros se aproveitam delas. Elas precisam aprender a criar melhores limites pessoais. Você está neste decanato quando o seu sol estiver entre 20° e 29° de Câncer, e as datas aproximadas vão de 12 de julho a 21 de julho.

Os decanatos de Leão

O primeiro decanato de Leão é regido pelo Sol e é o decanato de Leão. Este é o regente de todos, ou pelo menos é assim que essas pessoas se veem. Elas se consideram especiais e destinadas a ser líderes ou adoradas em tudo o que fazem, da maneira mais gentil possível. Sentem-se como que nascidas para ser as primeiras e, em muitos aspectos, estão certas, pois irradiam calor e uma presença régia. Leão é guiado pelo coração e muitos pertencentes a este decanato são líderes benevolentes, embora não raro lhes falte humildade. Quando os outros não chegam a vê-los como eles se veem ou não os tratam com a atenção que acham que merecem, podem ficar muito magoados. Você está neste decanato se o seu sol estiver entre 0° e 9° de Leão, e as datas aproximadas vão de 22 de julho a 1º de agosto.

O segundo decanato de Leão é regido por Júpiter e é o decanato de Sagitário. São os que assumem riscos e os apostadores do signo, pois a influência de Júpiter traz uma vibração expansiva e uma sensação de ter tanta sorte que tudo o que tocam se transforma em ouro. Muitas vezes é verdade. Também tendem a espalhar essa sensação de bem-estar para as pessoas ao redor porque são extremamente generosos. Essa tendência de assumir riscos também pode levá-los a extrapolar às vezes, mas eles geralmente caem de pé. Você está neste decanato se o seu sol estiver entre 10° e 19° de Leão, e as datas aproximadas vão de 2 de agosto a 11 de agosto.

O terceiro decanato de Leão é regido por Marte e é o decanato de Áries. Este é o leão guerreiro que sai pelo mundo com um senso de retidão e de possibilidades, que realmente acredita poder alcançar tudo o que deseja. A sua vontade é tão forte e o desejo tão grande que muitas vezes efetivamente conseguem aquilo em que colocam o coração. A qualidade fixa de Leão os faz persistir em realizar esses desejos, mas também pode torná-los teimosos e resistentes a qualquer sugestão de outros, e raramente admitem cometer erros. No entanto, são muito abertos e honestos, não importando o que os outros digam ou pensem. Você está neste decanato se o seu sol estiver entre 20° e 29° de Leão, e as datas aproximadas vão de 12 de agosto a 21 de agosto.

Os decanatos de Virgem

O primeiro decanato de Virgem é regido por Mercúrio e é o decanato de Virgem. Os nascidos neste decanato têm uma mente muito intelectual e extremamente racional. São produtivos demais e sempre procuram fazer seu dia funcionar de forma mais produtiva para que possam ser mais úteis com seu tempo. Gostam de relacionamentos intelectuais em que possam discutir planos e ideias com as pessoas ao seu redor. Também são muito inquietos e sua autocrítica é provavelmente mais forte que a de todas as pessoas no zodíaco, pois constantemente analisam tudo. A energia mutável do decanato significa que costumam corrigir o curso, o que ao mesmo tempo pode ser uma bênção ou uma maldição. Você está neste decanato se o seu sol estiver entre 0° e 9° de Virgem, e as datas aproximadas vão de 22 de agosto a 1º de setembro.

O segundo decanato de Virgem é regido por Saturno e é o decanato de Capricórnio. A energia precursora de Saturno e Capricórnio alivia parte das possíveis paralisias por excesso de análise dos virginianos e os incentiva a agir para criar estruturas que lhes deem segurança material. Tendem a ser grandes realizadores, buscando continuar construindo e ganhando dinheiro, e são mais investidores do que gastadores porque isso lhes dá a sensação de realização de que necessitam. Também podem desistir de alguns projetos se sentirem que estão fracassando.

São muito responsáveis e grandes gestores, mas seu empenho em realizações pode significar que perdem o lado mais leve e divertido da vida. Você está neste decanato se o seu sol estiver entre 10° e 19° de Virgem, e as datas aproximadas vão de 2 de setembro a 11 de setembro.

O terceiro decanato de Virgem é regido por Vênus e é o decanato de Touro. A presença calmante de Vênus e a influência estabilizadora de Touro fazem este decanato de Virgem ser menos tenso que os outros. Virgem gosta de fazer as coisas com as mãos e você pode considerar este decanato criativo em qualquer campo que exija moldar ou usar outros materiais terrosos, fazendo escultura ou pintura a dedo. São pessoas que se movem mais devagar e, em geral, bastante reservadas e autossuficientes. Também gostam de ter boa aparência e se vestir bem, mas de maneira muito simples. Raramente são extravagantes. Você está neste decanato se o seu sol estiver entre 20° e 29° de Virgem, e as datas aproximadas vão de 12 de setembro a 21 de setembro.

Os decanatos de Libra

O primeiro decanato de Libra é regido por Vênus e é o decanato de Libra. Pessoas desse decanato são amantes da beleza e do prazer. Adoram a harmonia, a paz e que a vida seja suave e agradável. São mais felizes quando estão em um relacionamento, mas podem se tornar questionadoras, discutindo às vezes só por discutir. Também têm um senso apurado sobre negócios, e podem utilizar isso para criar um equilíbrio saudável entre vida pessoal e profissional. Quando conseguem ser bastante equilibrados, costumam viver em um lugar tranquilo e bonito, tanto externa quanto internamente. Você está neste decanato se o seu sol estiver entre 0° e 9° de Libra, e as datas aproximadas vão de 22 de setembro a 1º de outubro.

O segundo decanato de Libra é regido por Urano e é o decanato de Aquário. Os nascidos aqui são mais individualistas que os dos demais decanatos de Libra e são mais atraídas pelo intelecto das pessoas do que pela aparência das coisas. Também são mais inclinados a ter maior necessidade de espaço pessoal para encontrar o equilíbrio de que Libra precisa. Você está neste decanato se o seu sol estiver entre 10° e 19° de Libra, e as datas aproximadas vão de 2 de outubro a 11 de outubro.

O terceiro decanato de Libra é regido por Mercúrio e é o decanato de Gêmeos. São pessoas encantadoras que podem persuadir os outros com suas palavras, mas também são mais mutáveis e inquietas, o que pode perturbar o equilíbrio e a harmonia necessários para Libra. São altamente sociáveis e precisam conversar com outras pessoas regularmente. Você está neste decanato se o seu sol estiver entre 20° e 29° de Libra, e as datas aproximadas vão de 12 de outubro a 21 de outubro.

Os decanatos de Escorpião

O primeiro decanato de Escorpião é regido por Plutão e é o decanato de Escorpião. Essas pessoas são profundas e extremamente intensas. Podem, quase que inconscientemente, usar jogos de poder com os outros enquanto tentam satisfazer seus profundos anseios e desejos. Muitas vezes são possessivas e chegam a ser obsessivas, pois desejam fundir-se com aqueles com quem mantêm um relacionamento. Não são as pessoas mais fáceis de se conviver, mas amam profundamente, se você conseguir aguentar a pressão. Você está neste decanato se o seu sol estiver entre 0° e 9° de Escorpião, e as datas aproximadas vão de 22 de outubro a 1º de novembro.

O segundo decanato de Escorpião é regido por Netuno e é o decanato de Peixes. Os nascidos neste decanato são muito intuitivos e sedutores. Magnetizam os outros com um glamour que às vezes não revela a verdade. Sua imaginação é bastante mágica e seus ideais são elevados, mas, por vezes, totalmente irrealistas. Você está neste decanato se o seu sol estiver entre 10° e 19° de

Escorpião, e as datas aproximadas vão de 2 de novembro a 11 de novembro.

O terceiro decanato de Escorpião é regido pela Lua e é o decanato de Câncer. A natureza acolhedora e amorosa da Lua e de Câncer suaviza consideravelmente a intensidade de Escorpião, embora sua natureza receptiva ainda queira se conectar com os outros em um nível emocional profundo. Essas pessoas têm grande lealdade, mas com um maior nível de confiança. Você está neste decanato se o seu sol estiver entre 20° e 29° de Escorpião, e as datas aproximadas vão de 12 de novembro a 21 de novembro.

Os decanatos de Sagitário

O primeiro decanato de Sagitário é o decanato de Sagitário, regido por Júpiter. Essas pessoas são aventureiras e otimistas, embora às vezes lhes falte tato. Frequentemente estudam filosofias e princípios superiores, incluindo os de várias religiões, e costumam ser eternos aprendizes. Também podem tender a ficar do lado dogmático e pregar o que sabem. Você está neste decanato se o seu sol estiver entre 0° e 9° de Sagitário, e as datas aproximadas para este decanato vão de 22 de novembro a 1º de dezembro.

O segundo decanato de Sagitário é regido por Marte e é o decanato de Áries. Essas pessoas podem ser propensas a acidentes, pois Sagitário em geral tende a galopar por todos os lugares – combinado com a energia de Marte de mergulhar de cabeça, eles nem sempre olham para onde vão. Estão sempre se desafiando e, em geral, são completamente abertos e honestos. Essas pessoas precisam de ação e movimento. Você está neste decanato se o seu sol estiver entre 10° e 19° de Sagitário, e as datas aproximadas vão de 2 de dezembro a 11 de dezembro.

O terceiro decanato de Sagitário é o decanato de Leão, regido pelo Sol. Este é outro posicionamento que envolve correr riscos, e a combinação pode levá-los a apostar na vida em busca de aventura e experiência. São pessoas íntegras, mas também podem deixar seu orgulho atrapalhar quando miram alto, e isso pode causar quedas. Você está neste decanato se o seu sol estiver entre 20° e 29° de Sagitário, e as datas aproximadas vão de 12 de dezembro a 21 de dezembro.

Os decanatos de Capricórnio

O primeiro decanato de Capricórnio é regido por Saturno e é o decanato de Capricórnio. Essas pessoas têm grande determinação e podem mover montanhas. São muito sérias e responsáveis. Como têm o dobro da energia responsável de Capricórnio, também podem ter o dobro do medo de seu esforço não ser suficiente e devem ter cuidado para não trabalhar em excesso por causa do medo de fracasso. Você está neste decanato se o seu sol estiver entre 0° e 9° de Capricórnio, e as datas aproximadas vão de 22 de dezembro a 1º de janeiro.

O segundo decanato de Capricórnio é regido por Vênus e é o decanato de Touro. Os decanatos do meio são frequentemente mais equilibrados e o decanato intermediário de Capricórnio não é diferente. A energia de Vênus e Touro significa que essas pessoas ainda são responsáveis e determinadas, mas também faz com que relaxem e aproveitem o conforto que suas conquistas trazem. Elas ficam mais felizes com uma abordagem mais lenta da realização. Você está neste decanato se o seu sol estiver entre 10° e 19° de Capricórnio, e as datas aproximadas vão de 2 de janeiro a 11 de janeiro.

O terceiro decanato de Capricórnio é regido por Mercúrio e é o decanato de Virgem. Essas pessoas são mais impacientes do que os dois primeiros decanatos deste signo e estão sempre procurando tornar tudo o que fazem mais funcional, para que possam chegar mais rápido à próxima tarefa. Têm uma natureza mais irritável, pois podem se sentir restringidos pela determinação implacável de Capricórnio. Você está neste decanato se o seu sol estiver entre 20° e 29° de Capricórnio, e as datas aproximadas vão de 12 de janeiro a 21 de janeiro.

Os decanatos de Aquário

O primeiro decanato de Aquário é o decanato de Aquário, regido por Urano, e essas pessoas são verdadeiros individualistas e não conformistas. Elas são humanitárias, sociáveis e de mentalidade progressista, embora muitas vezes tenham apenas um pequeno círculo de amigos. Estão sempre pensando em novos planos e ideias e sua mente raramente fica quieta; o excesso de pensamento pode levar à ansiedade se não tiverem algum tempo de inatividade solitária. Você está neste decanato se o seu sol estiver entre 0° e 9° de Aquário, e as datas aproximadas vão de 22 de janeiro a 1º de fevereiro.

O segundo decanato de Aquário é regido por Mercúrio e é o decanato de Gêmeos. Essas pessoas têm uma natureza semelhante à daquelas do primeiro decanato, mas com um toque mais leve. Ainda são individualistas, porém mais sociais. Costumam ser mais curiosas a respeito do mundo do que apenas de ideias abstratas. Frequentemente são amantes da literatura. Também costumam ser ótimas comunicadoras com o desejo de ensinar a todos tudo o que estudam. Você está neste decanato se o seu sol estiver entre 10° e 19° de Aquário, e as datas aproximadas vão de 2 de fevereiro a 11 de fevereiro.

O terceiro decanato de Aquário é o decanato de Libra, regido por Vênus. Essas pessoas são geralmente ótimos políticos por natureza, pois são muito boas em se relacionar e realmente se preocupam em melhorar a vida dos outros. Em geral conseguem ver o melhor nas pessoas e querem ajudar a trazer isso à tona. Costumam ser graciosas e esbeltas. Você está neste decanato se o seu sol estiver entre 20° e 29° de Aquário, e as datas aproximadas vão de 12 de fevereiro a 21 de fevereiro.

Os decanatos de Peixes

O primeiro decanato de Peixes é regido por Netuno e é o decanato de Peixes. Essas pessoas são verdadeiras esponjas psíquicas, sensíveis a tudo o que está ao redor. São altamente intuitivas e conectadas com o inconsciente coletivo. São geralmente atraídas por experiências místicas, uma vez que já habitam esses reinos. São facilmente exploradas, pois têm poucos limites e muitas vezes parecem ser uma nuvem nebulosa ambulante de sonhos e criatividade. Você está neste decanato se o seu sol estiver entre 0° e 9° de Peixes, e as datas aproximadas vão de 22 de fevereiro a 1º de março.

O segundo decanato de Peixes é o decanato de Câncer, regido pela Lua. Essas pessoas são românticas criativas, mas também anseiam por segurança e proteção, mais do que todos os decanatos. São extremamente leais àqueles que amam e podem ser muito carentes se não se sentirem protegidas. Suas habilidades artísticas e domésticas florescem quando estão seguras. Os nascidos sob este decanato precisam da segurança do lar e laços familiares próximos, mas também necessitam de muito tempo sozinhos dentro dessa estrutura. Você está neste decanato se o seu sol estiver entre 10° e 19° de Peixes, e as datas aproximadas vão de 2 de março a 11 de março.

O terceiro decanato de Peixes é regido por Plutão e é o decanato de Escorpião. Os nascidos sob este decanato são geralmente atraídos pelos reinos do oculto e do tabu, como os reinos da magia, mediunidade e morte. Costumam estar intimamente conectados com o outro lado e podem até ver espíritos. No mínimo, são profundamente intuitivos e conseguem sentir o que acontece dentro das pessoas ao redor. Você está neste decanato se o seu sol estiver entre 20° e 29° de Peixes, e as datas aproximadas vão de 12 de março a 21 de março.

CAPÍTULO 5

Planetas e outros corpos essenciais

O MAPA ASTRAL é criado usando muitos elementos. Este capítulo examina os planetas e outros corpos essenciais, que podem ser descritos como o "o quê" no mapa, os signos sendo "como" os planetas atuam sobre você e as casas sendo o "onde", ou seja, as áreas da vida.

O "o quê" em seu mapa representa coisas como emoções, motivação, natureza amorosa, mente ou, para dizer de forma diferente, partes integrantes do *self*. Os diferentes signos mostram como essas partes do *self* se manifestam em uma pessoa e se o fazem, por exemplo, de uma forma mais entusiástica ou mais reservada. A casa, ou o "onde", indica as áreas da vida em que o planeta e o signo atuam com maior prevalência nos indivíduos.

Historicamente, a astrologia utiliza os dois luminares, Sol e Lua, e os cinco planetas visíveis: Mercúrio, Vênus, Marte, Júpiter e Saturno. A astrologia moderna, no entanto, também utiliza corpos cósmicos descobertos mais recentemente. Alguns estão incluídos neste capítulo e outros serão discutidos mais adiante no livro.

Na parte 2 (ver página 109) você aprenderá como estruturar e interpretar um mapa astral. Estas seções serão utilizadas como referência à medida que você integra todas as partes do mapa para criar uma imagem holística do *self*.

O SOL ☉

O Sol é o princípio organizador central do sistema solar e do *self*. É a identidade central, e o Sol em seu mapa energiza você. Ele é energia do dia, pois brilha claramente durante o dia e é inalação da respiração que energiza nosso corpo. Da mesma forma que no sistema solar, tudo o mais gira em torno desse núcleo brilhante. Ele rege o signo de Leão e o coração, e isso indica que o Sol é o seu coração. É considerado uma energia masculina ou yang na cultura ocidental moderna, mas em muitas outras tradições o Sol é visto como feminino por causa de suas qualidades estimulantes.

O Sol funciona como seu CEO ou condutor, e quando você está sintonizado com a energia de seu signo solar pessoal, você atua da forma mais alinhada possível. O Sol também representa a expressão pessoal, senso de propósito, criatividade e o ego no mais saudável dos sentidos.

A expressão mais elevada da energia do Sol é o líder benevolente que ilumina a vida dos outros e é energizado pela maneira como os ilumina. Em sua expressão menor, o Sol pode ser presunçoso e egoísta. Como o Sol real no sistema solar, porém, a energia do sol dentro de nós pode ser obscurecida ou bloqueada pelos outros posicionamentos, e quando o signo solar está bloqueado é mais difícil expressar essa energia.

A LUA ☽

A Lua representa suas necessidades emocionais e sua relação com os sentimentos. É energia da noite e a de uma exalação quando relaxamos no fim do dia. O signo de Câncer e a quarta casa são regidos pela Lua. Ela também representa o relacionamento com a família, o lar e seus antepassados.

A Lua é receptiva e reflexiva, não emitindo luz própria. Por causa disso, as culturas ocidentais a designaram como energia yin ou feminina, por retratar o feminino como passivo. No entanto, existem outras tradições que acreditam que o Sol é o óvulo e a Lua, o esperma. A Lua é visivelmente energia da noite, em que exalamos, descansamos e recuperamos nossa energia.

Ela também é nossa base de segurança e frequentemente representa a mãe, ou a pessoa que "cuidou" de você na infância. A Lua rege os ritmos do corpo, incluindo os ciclos menstruais e os ciclos do sono. Há uma crença comum de que dormimos menos e temos mais energia quando é Lua cheia, e que somos mais focados internamente e precisamos de um tempo sozinhos na Lua nova. Como o posicionamento da Lua diz muito a respeito de nossa resposta ao mundo exterior, as fases reais da Lua também nos afetam. Há um fluxo e refluxo de toda a energia lunar.

MERCÚRIO ☿

Mercúrio é energia do dia e da noite e é inalação e exalação, pois o planeta rege os signos de Gêmeos e de Virgem, representando serviço e utilidade. Mercúrio é o menos binário dos corpos planetários e o fato de o planeta reger tanto o signo do ar yang (dia) de Gêmeos quanto o da terra yin (noite) de Virgem indica isso. É o primeiro dos planetas pessoais depois dos luminares, o Sol e a Lua.

Mercúrio representa a mente, a comunicação, o mensageiro, os detalhes, as habilidades técnicas, a percepção e o aprendizado. Também é coordenação, a forma como nossa mente ordena que nossas redes neurais se coordenem.

Dependendo do posicionamento de Mercúrio e de como estamos incorporando o nosso Mercúrio, ele pode ser curioso, espirituoso, sociável e versátil ou nervoso, preocupado demais com detalhes e, até mesmo, altamente tenso. Mercúrio também está associado ao arquétipo do trapaceiro – o fato de o planeta parecer retroceder três a quatro vezes por ano é indicativo de sua natureza trapaceira, porque Mercúrio retrógrado é conhecido por confusões técnicas e falhas de comunicação. O arquétipo do trapaceiro é aquele que vira de cabeça para baixo as regras e os comportamentos convencionais.

Mercúrio está associado a Hermes, o mensageiro dos deuses. É o planeta mais próximo do Sol, nosso núcleo, e transmite informações do núcleo para a Terra. Mercúrio viaja próximo ao Sol sob nossa ótica e está sempre no mesmo signo do astro-rei ou em um dos dois signos adjacentes.

VÊNUS ♀

Vênus é geralmente conhecido como o planeta do amor e, naturalmente, a astrologia moderna o definiu como feminino, apesar do fato de Vênus reger tanto Libra, um signo do ar e do dia, quanto Touro, um signo da terra e da noite. Da mesma forma que Mercúrio, Vênus é dia e noite, exalação e inalação. As definições da astrologia moderna refletem o preconceito de gênero e explicam por que algumas pessoas nunca se identificaram com conceitos como "os homens são de Marte e as mulheres são de Vênus".

Vênus é o segundo dos planetas pessoais, o segundo planeta a partir do Sol e o mais próximo da Terra. Vênus, como Mercúrio, viaja próximo ao Sol sob nossa ótica e está sempre no mesmo signo do astro-rei ou em um dos signos adjacentes.

Vênus rege os sentidos e, portanto, simboliza a relação com tudo o que pode ser visto, tocado, ouvido, cheirado e provado, o que inclui pessoas, natureza, dinheiro, comida e coisas. Vênus também simboliza valores, artes, beleza, sensualidade, harmonia e conciliação – bem como indecisão, inércia e excesso de indulgência.

Inclusão

É importante reiterar que o horóscopo ou mapa astral não mostra gênero, cor ou, até mesmo, se pertence a um ser humano – eventos, animais ou qualquer outra coisa pode ter um horóscopo. A astrologia é arquetípica e mítica, mas não estereotipada em sua essência. Os estereótipos que podem ter surgido têm mais a ver com o praticante e o condicionamento patriarcal da sociedade.

A astrologia em si não precisa mudar para ser abordada de forma inclusiva e igualitária. A astrologia por si mesma é neutra. Na verdade, a abordagem do astrólogo em função de seus próprios preconceitos e condicionamentos é que deve mudar.

Para que a astrologia possa avançar, os astrólogos devem começar a mudar seus preconceitos e atender cada cliente como um indivíduo único. Muitos astrólogos usam um formulário de inscrição ao agendar novos clientes; ver se há uma questão indagando por qual pronome o cliente prefere ser chamado é uma boa maneira de escolher um astrólogo. Preste atenção também na linguagem usada no marketing e em artigos publicados por ele.

Na análise de seu próprio mapa, sugiro desenvolver o uso dos termos "dia" e "noite" e "inalação" e "exalação" ao interpretá-lo, enquanto toma consciência de suas próprias atitudes normativas de gênero profundamente arraigadas. Por exemplo, alguém com signos do fogo e do ar muito fortes pode ser tipicamente descrito como tendo um mapa muito "masculino". Dizer que o mapa tem uma ênfase do dia e da inalação é muito mais inclusivo para todas as pessoas e atitudes.

Vênus tem um ciclo que reflete uma energia mais complexa e binária: quando se eleva acima do Sol, é a "estrela da manhã", conhecida como Eósforo ou Lúcifer, a portadora da luz, um planeta yang (dia) expansivo. Quando se move para o ocaso depois do Sol, Vênus é a estrela vespertina, ou Héspero, um posicionamento yin (noite) muito mais receptivo. É uma boa prática olhar para isso, além do posicionamento do signo e da casa e dos aspectos dos outros planetas, para ter um quadro completo de Vênus do indivíduo.

MARTE ♂

Marte é o último dos planetas pessoais e o único a estar mais longe do Sol que a Terra. Como Marte nos leva aos confins do sistema solar e para longe do Sol, a energia do próprio planeta é mais extrovertida. Marte rege Áries, o pioneiro do zodíaco. Curiosamente, Marte também rege Escorpião na astrologia tradicional. A astrologia tradicional geralmente se refere a práticas que utilizam somente os planetas e os corpos essenciais que eram visíveis a olho nu, de modo que atribuíam a regência dos signos aos corpos planetários desde a Lua até Saturno. Como regente tradicional de Escorpião, o planeta vermelho exibe uma denotação de exalação da noite. Na astrologia moderna, Marte é energia yang (do dia).

Marte simboliza ação, impulso, coragem, liderança, assertividade, agressividade e raiva. Costuma-se dizer que Marte simboliza luta e competição, mas deve-se ressaltar que Libra regido por Vênus rege a própria guerra, assim como a paz. Repetindo mais uma vez, a astrologia é mais complexa do que alguns podem pensar.

Marte está associado à fisicalidade e à competição em geral. Facas e armas são imagens que se conectam com Marte. Marte é paixão, impaciência e força vital, e como tal é uma inalação da respiração. Sem Marte, pouco faríamos na vida. Marte nos ajuda a realizar nossos desejos. Marte é nossa natureza animalesca e todos nós temos isso em maior ou menor grau, dependendo do posicionamento no horóscopo individual. Em sua encarnação da noite como regente tradicional de Escorpião, Marte é penetrante e apaixonado.

JÚPITER ♃

Júpiter é frequentemente chamado de o primeiro dos planetas sociais, à medida que nos afastamos do Sol, e representa uma transição dos planetas pessoais para os planetas externos, transpessoais ou coletivos, mais recentemente descobertos. Júpiter é um planeta do dia/inalação como regente de Sagitário, um signo do fogo. Como regente tradicional de Peixes, Júpiter é da noite ou exalação. Essa energia difusa deve ser levada em conta quando você analisa o planeta no mapa de um indivíduo.

Júpiter rege Sagitário, o signo da busca da verdade e da crença, e a nona casa. Júpiter é o guru ou professor do zodíaco e simboliza a energia divina. No panteão romano havia originalmente um conselho de seis deuses e seis deusas chamado *Dei Consentes*, mas Júpiter tornou-se o deus principal mais tarde na cultura romana.

O planeta Júpiter, como deus do céu, simboliza liberdade, otimismo, generosidade, sorte, expansão, amplitude e verdade. Júpiter é o profeta, o sábio, o viajante e explorador do mundo. Júpiter também simboliza grandiosidade, expansão; é o falastrão e a caixa onde o orador sobe para fazer um discurso.

Júpiter é frequentemente considerado o planeta da sorte, e isso pode ser verdade, mas Júpiter também representa expansão descontrolada e exagero de todos os tipos.

SATURNO ♄

Saturno é o segundo dos planetas sociais e o último dos planetas originais visíveis a olho nu utilizados na astrologia tradicional. Saturno rege o signo de Capricórnio, yin da terra, e, mesmo assim, características tradicionalmente vistas como masculinas são atribuídas ao planeta. Devemos lembrar que todos os gêneros têm essas qualidades dentro deles. Saturno é uma energia mais fria da noite e é uma exalação da respiração como regente de Capricórnio. No entanto, Capricórnio também exibe energia do dia ou de inalação. Ao interpretar o seu mapa, leve em conta a energia do dia ou da noite do posicionamento de Saturno no signo. Este planeta também está associado à décima casa.

Saturno simboliza autoridade externa, o que é apropriado para o que se pensava ser o limite externo do nosso sistema solar. Outros símbolos de Saturno são o pai ou a mãe – ou a energia do pai ou da mãe que exibe mais energia yang. Saturno simboliza fronteiras, regras e limitações, medo, negação e controle. Simboliza também maturidade, realidade sensorial e idade avançada.

Saturno tem sido muito difamado em função dessas qualidades, mas os limites e uma percepção sensível das limitações são importantes para construir as estruturas de sua vida. É onde fechamos a porta, literal ou figurativamente, para nos recuperarmos da energia do dia voltada para a ação. Saturno pode ser a espinha dorsal e a âncora de sua vida se você decidir trabalhar com o posicionamento em seu mapa.

URANO ♅

Urano é o primeiro dos planetas transpessoais descobertos mais recentemente, aqueles que não são visíveis a olho nu. Urano foi descoberto por William Herschel em 1781 e foi um choque descobrir um planeta além dos limites anteriormente conhecidos do sistema solar. Urano rege Aquário e a 11ª casa. A descoberta de Urano permitiu a descoberta de forças coletivas maiores, o que levou à abertura da mente dos astrólogos. Conceitos como a alma e grandes ciclos planetários eram anteriormente limitados pelo que se pensava ser um sistema fechado com Saturno no limite externo. Isso indica a energia do despertar e os limites quebrados que Urano simboliza. Urano também tem um eixo de rotação de 98° em relação à perpendicular, o que o diferencia de outros corpos cósmicos.

Urano representa a individualidade, a singularidade, o pouco convencional e a independência. É o revolucionário e o rebelde. Como tal, esta é uma energia de ação e atividade do dia e uma inalação. Onde Urano aparece em um horóscopo mostra onde você será chamado para seguir seu próprio caminho e se libertar do status quo. Urano é o gênio inventivo aberto a informações e ideias que não foram pensadas antes, ou onde as conexões ainda não foram feitas.

NETUNO ♆

Netuno, o segundo dos planetas transpessoais, foi descoberto em 1846. Semelhante à natureza nebulosa do próprio Netuno, ele foi descoberto por previsão matemática – com base na hipótese de que um corpo planetário estava perturbando a órbita de Urano –, em vez de por meio de observação empírica. Hoje sabemos que Galileu na verdade observou Netuno no século

Planetas-anões

A descoberta dos atualmente chamados planetas-anões pelos astrônomos está mudando ainda mais a astrologia e em um ritmo mais rápido do que nunca; essas descobertas coincidem com a mudança dos tempos da Era de Peixes para a Era de Aquário.

As eras astrológicas representam um grande período de tempo na história. Cada era astrológica dura aproximadamente 2.160 anos e nós passamos por todas as eras durante mais de 25.920 anos. A Era de Peixes começou por volta da época do nascimento do cristianismo e atualmente estamos na transição entre a Era de Peixes e a próxima era, a Era de Aquário (as eras retrocedem pelos signos).

A descoberta de Éris em 2005 abalou o mundo da astronomia e levou à nova designação de "planeta-anão" em 2006, bem como ao rebaixamento de Plutão e à promoção de Ceres, antes considerado um asteroide, à nova designação.

Desde a descoberta de Éris, vários outros planetas-anões foram descobertos, entre os quais Haumea e Makemake, com Sedna, Orcus, Quaoar, Varuna, Íxion e alguns outros objetos transnetunianos no cinturão de Kuiper sendo considerados. Algumas estimativas sugerem que existam pelo menos 100 objetos que podem ser classificados como planetas-anões que ainda não foram descobertos na exploração do cinturão de Kuiper – e milhares mais além.

Muitos astrólogos estão começando a explorar alguns desses objetos em seu trabalho, mas como este é um campo de estudo recém-descoberto, com novas descobertas acontecendo o tempo todo, este livro tratará apenas de Plutão e Ceres.

XVII, possivelmente confundindo-o com uma estrela. Essas experiências de descoberta confusa são emblemáticas do simbolismo desse planeta.

Netuno rege Peixes e a 12ª casa e simboliza ilusão, confusão, a própria consciência, sensibilidade psíquica e uma energia criativa que se assemelha ao transe. Todos os reinos do misticismo e mistério são simbolizados por Netuno, assim como os complexos de dependência e vitimização.

Netuno estabelece limites e é sacrificial, mas também curativo e gentil. A energia de Netuno dissolve e torna tudo o que toca mais nebuloso. Como um planeta receptivo e sensível, Netuno é uma energia da noite ou uma exalação.

PLUTÃO ♇

Plutão é o último dos planetas transpessoais utilizados na astrologia mais moderna. Na verdade, Plutão não é mais um planeta de acordo com o mundo astronômico, pois foi rebaixado depois da descoberta do planeta-anão Éris. O asteroide Ceres foi promovido ao status de planeta-anão na mesma época, criando toda uma nova classificação de corpos cósmicos. No entanto, isso não diminuiu o poder inerente a Plutão. Como Plutão é a energia da transformação, será que pode ser considerado uma surpresa que ele, juntamente com os recém-descobertos planetas-anões, esteja transformando ainda mais a astrologia? Plutão rege Escorpião e a oitava casa, e é uma energia da noite, de exalação.

Plutão simboliza a transformação pessoal, a profundidade psicológica e o desejo da alma de evoluir. Como guardião do submundo, Plutão guarda os recursos pessoais que estão enterrados nas profundezas de nossa psique. Todas as coisas que muitos consideram tabu são simbolizadas por Plutão, inclusive a sexualidade, a repressão, a depressão e os comportamentos obsessivos. A realidade subjacente e os domínios das feridas cármicas são simbolizados por Plutão. Trata-se de uma energia intensa e poderosa, que representa tanto o empoderamento pessoal quando a impotência.

DIGNIDADES E DEBILIDADES PLANETÁRIAS

Os planetas não são apenas considerados por sua regência ou domicílio em um ou mais signos; também podem ser mais alinhados com determinados signos e menos com outros. Esse alinhamento é chamado de dignidade e debilidade. O exame das dignidades e debilidades aprofundará sua compreensão da influência dos planetas e signos em um horóscopo.

As quatro dignidades essenciais são:

- **Regência:** é aqui que o planeta se sente mais em casa (consulte seu signo individual neste livro, onde destaco a regência).
- **Detrimento:** quando o planeta está no signo oposto ao de sua regência, diz-se que está enfraquecido.
- **Exaltação:** este é o signo que fornece a melhor expressão do planeta depois de seu domicílio.
- **Queda:** quando o planeta está no signo oposto ao de sua exaltação, diz-se que está na situação mais enfraquecida.

Se um planeta não cai em nenhum desses posicionamentos, diz-se que é peregrino e os aspectos tornam-se mais cruciais. Deve-se notar que a experiência mostra que o detrimento e a queda nem sempre atuam negativamente, sobretudo quando bem aspectados. (Vou explicar os aspectos no próximo capítulo.)

Segue uma pequena lista de dignidades e debilidades planetárias:

- **O Sol:** regência em Leão, detrimento em Aquário, exaltação em Áries, queda em Libra.
- **A Lua:** regência em Câncer, detrimento em Capricórnio, exaltação em Touro, queda em Escorpião.
- **Mercúrio:** regência em Gêmeos e Virgem, detrimento em Sagitário e Peixes, exaltação em Virgem, queda em Peixes.
- **Vênus:** regência em Touro e Libra, detrimento em Escorpião e Áries, exaltação em Peixes, queda em Virgem.
- **Marte:** regência em Áries e Escorpião, detrimento em Libra e Touro, exaltação em Capricórnio, queda em Câncer.
- **Júpiter:** regência em Sagitário e Peixes, detrimento em Gêmeos e Virgem, exaltação em Câncer, queda em Capricórnio.
- **Saturno:** regência em Capricórnio e Aquário, detrimento em Câncer e Leão, exaltação em Libra, queda em Áries.
- **Urano:** regência em Aquário, detrimento em Leão, exaltação em Escorpião, queda em Touro.
- **Netuno:** regência em Peixes, detrimento em Virgem, exaltação em Leão (ou Câncer, dependendo do trabalho de quem você lê), queda em Aquário (ou Capricórnio).
- **Plutão:** regência em Escorpião, detrimento em Touro, exaltação em Áries (ou Peixes), queda em Libra (ou Virgem).

Após interpretar os elementos básicos do horóscopo até aqui, agora é o momento de começar a integrar as diferentes partes do mapa em uma história coesa da alma. No próximo capítulo veremos os aspectos, que são as linhas angulares que interligam todas essas diferentes partes.

CAPÍTULO 6

Os aspectos

OS ASPECTOS SÃO os ângulos que os planetas e outros corpos cósmicos fazem entre si no horóscopo. Aspectos distintos diferem em seus ângulos entre os corpos aspectados. Os aspectos unem os elementos díspares do horóscopo para criar uma história coesa. Trata-se de um assunto extremamente complexo que só pode ser dominado pela prática, e deve-se aprender o básico primeiro.

Os aspectos referem-se às distâncias, em graus, entre pontos no horóscopo. O horóscopo consiste em 360° e cada aspecto é uma divisão desses 360°. Por exemplo, os aspectos quadrados dividem o horóscopo por quatro para fazer um ângulo de 90°. Como tudo no horóscopo, os aspectos são yin e yang ou dia e noite. Alguns são mais voltados para a ação e alguns são mais receptivos e conectam os outros posicionamentos do dia e da noite.

Todos os aspectos criam um elemento motivacional e alguma tensão que inspira uma pessoa a agir. O fato de quão motivacional é um aspecto depende do próprio aspecto e dos elementos envolvidos. Não há aspectos bons ou ruins, pois os aspectos menos harmoniosos tendem a dar mais ímpeto, mas causam mais estresse, e os aspectos harmoniosos tendem a exigir esforço consciente para serem ativados, porém são mais confortáveis. Veremos isso mais detalhadamente nos próximos capítulos.

De modo geral, os aspectos que dividem o mapa por um número par são considerados aspectos da noite, pois devem integrar energias díspares, e os aspectos que dividem o mapa por números ímpares são aspectos do dia, que possuem uma maneira mais energizada de trabalhar em conjunto.

Os ângulos mais importantes são os aspectos ptolomaicos: a conjunção (dois planetas juntos), a oposição (180° de separação), a quadratura (90° de separação), o trígono (120° de separação) e o sextil (30° de separação). Sugiro que você se concentre nesses ao máximo, especialmente se for iniciante. Utilize os outros aspectos para criar uma leitura ainda mais matizada à medida que evoluir em sua prática.

A CONJUNÇÃO ☌ 0°

A conjunção é quando dois planetas ou outros corpos essenciais estão juntos ou a poucos graus entre si no horóscopo. Este aspecto pode ser tanto da noite quanto do dia em tonicidade, o que depende da combinação de corpos planetários, signo e casa.

A conjunção é uma combinação poderosa de dois planetas ou corpos, em que ambos intensificam o simbolismo dos dois planetas e confundem as energias, criando dificuldades para ver as energias dos dois corpos separados. Os planetas individuais parecem perder sua individualidade e assumir algumas das características do outro, com o planeta externo geralmente tendo mais impacto no planeta interno. Quanto mais próxima a conjunção, mais forte será a fusão do simbolismo e maior a dificuldade em separar e sentir as forças individuais de cada planeta. Geralmente é considerado um aspecto harmonioso, mas requer uma compreensão mais complexa de como o simbolismo dos planetas, signos e casas trabalham em conjunto.

Por exemplo, Netuno em conjunção com Vênus significa que o indivíduo pode ter dificuldade em ver com clareza aqueles com quem se relaciona e terá uma qualidade etérea para as outras pessoas. Frequentemente também terá um idealismo irrealista que não consegue enxergar dentro de si.

A OPOSIÇÃO ☍ 180°

A oposição é quando dois planetas ou outros corpos essenciais estão visualmente opostos no horóscopo, separados aproximadamente por 180°. Em outras palavras, os 360° do zodíaco são divididos por dois para criar o aspecto de 180°. Tradicionalmente considerado um aspecto desarmônico, o segredo para trabalhar com uma oposição no mapa é a integração das energias opostas. Este é um aspecto da noite e é uma exalação da respiração. Para entender como eles podem trabalhar juntos é necessário misturar o simbolismo dos planetas, signos e casas.

Este é um aspecto com mais perspectiva do que a conjunção. Os planetas opostos podem ver um ao outro e, portanto, fica mais fácil entender como integrar os dois. Ambos os planetas se comunicam e negociam entre si, o que pode parecer uma negociação interna como quando dois sujeitos diferentes se encontram frente a frente.

Por exemplo, a Lua em oposição a Júpiter dará à pessoa, em termos muito simples, grandes altos e baixos emocionais, pois Júpiter expande e a Lua simboliza emoções. Os posicionamentos no signo e na casa darão uma compreensão mais profunda.

O TRÍGONO △ 120°

O trígono é um aspecto em que os planetas estão separados por aproximadamente 120°, o que significa que os 360° do zodíaco estão divididos por três. Esses aspectos estão quase sempre no mesmo elemento, a menos que estejam dissociados. Trata-se do aspecto mais fluido e harmonioso. Os planetas trabalham em conjunto sem esforço, complementando-se e enriquecendo-se. É um aspecto do dia ou inalação da respiração.

O trígono nos mostra onde estão nossos pontos fortes naturais. Os dois planetas estão em signos do mesmo elemento e trabalham em uma relação simbiótica. No entanto, como os aspectos fluem tão facilmente, há pouco ímpeto para conscientemente incorporar esses pontos fortes. Este aspecto é instintivo, mas, quando ativado, pode trazer uma sensação de estar verdadeiramente em alinhamento.

Por exemplo, Vênus em Libra em trígono com Netuno em Aquário significa que provavelmente a pessoa é altamente intuitiva e criativa, mas como isso vem muito naturalmente, ela pode não utilizar esse ponto forte em seu cotidiano. Como os trígonos estão geralmente no mesmo elemento (neste caso, o ar), isso muitas vezes significa que a pessoa não é capaz de trazer o ímpeto de outro elemento para maximizar o aspecto. Quando a pessoa toma consciência disso, porém, e começa a integrar esses pontos fortes em sua vida, ela consegue realizar o potencial de sua alma com maior facilidade.

A QUADRATURA □ 90°

O aspecto mais desafiador e estimulante é a quadratura, que significa que os dois planetas ou corpos essenciais estão separados por aproximadamente 90°, e os 360° do zodíaco estão divididos por quatro. Este é um aspecto da noite ou exalação.

No aspecto quadratura, os planetas estão na maior tensão entre si. O ângulo da quadratura sugere que os planetas não conseguem se ver "olho no olho" e, ainda assim, são afetados um pelo outro. É considerado um aspecto desarmônico, mas também fornece o maior ímpeto para avançar nos bloqueios evolutivos e lições que o aspecto exige. Os planetas estão quase competindo pela proeminência e, mesmo assim, se a pessoa for capaz de integrar conscientemente as energias conflitantes, este aspecto tem um grande poder.

Por exemplo, Vênus em quadratura com Saturno pode indicar bloqueios na intimidade em relacionamentos e/ou frugalidade com dinheiro. Com consciência e maturidade, a tensão pode ser relaxada e transformada em estabilidade em um relacionamento e/ou capacidade de desenvolver um grande sucesso financeiro.

O SEXTIL ✶ 60°

O sextil conecta dois planetas que estão afastados por aproximadamente 60°, e os 360° do zodíaco são divididos por seis. O sextil é um aspecto de oportunidade que também é considerado harmonioso. Também requer esforço consciente para assimilar e incorporar seu poder, mas quando ativado abre caminho para o crescimento que pode trazer um grande potencial. Ele às vezes é descrito como um trígono mais fraco, mas essa descrição é simplista demais; em todos os aspectos, os planetas, signos e casas envolvidos alteram consideravelmente o poder do aspecto. Este é, em geral, um aspecto do dia ou inalação, mas deve-se levar em consideração os elementos envolvidos.

O sextil é geralmente um aspecto que traz estimulação mútua para ambos os posicionamentos, pois normalmente conecta planetas em dois elementos diferentes para criar estímulos e resultados extras.

Por exemplo, Marte em Gêmeos pode estar em sextil com Saturno em Leão, e a combinação de Marte (vontade) e Saturno (determinação) em ar (Gêmeos simbolizando comunicação) e fogo (Leão simbolizando liderança) tornaria alguém um líder muito forte que se comunica com autoridade.

ORBES

Orbe é o número de graus além do valor exato permitido para cada aspecto. Os orbes são uma questão controversa nas diversas tradições astrológicas e cada astrólogo tem sua própria opinião sobre eles. De modo geral, o Sol e a Lua recebem um orbe mais amplo, assim como os aspectos ptolomaicos, com a conjunção e a oposição recebendo os maiores orbes.

Utilize esses orbes sugeridos como guia. Com a prática, você descobrirá o que funciona para você e compreenderá se uma combinação precisa receber um orbe mais amplo.

- **A Conjunção:** orbe de 10° para os luminares e 8° para outros planetas.
- **A Oposição:** orbe de 9° para luminares e 7° para outros planetas.
- **O Trígono e a Quadratura:** orbe de 8° para luminares e 6° para outros planetas.
- **O Sextil:** orbe de 4° para luminares e 3° para outros planetas.
- **O Quincunce, o Quintil, a Semiquadratura e a Sesquiquadratura:** orbe de 3° para luminares e 2° para outros planetas.
- **O Semisextil:** orbe de 2° para luminares e 1° para outros planetas.

O QUINCUNCE OU INCONJUNÇÃO ⊼ 150°

Este é um aspecto desafiador que envolve planetas em elementos diferentes e modalidades diferentes, de modo que é difícil encontrar qualquer base em comum entre os planetas aspectados. Trata-se de um aspecto separatista que convida ao ajuste para entender que os dois planetas aspectados realmente

Harmônicas

As harmônicas são uma forma diferente de olhar para os aspectos e foram desenvolvidas por John Addey em seu livro *Harmonics in Astrology* (Harmônicas na Astrologia), publicado em 1976. Os horóscopos harmônicos são baseados na ressonância e nos sobretons presentes no mapa.

Explicando de forma resumida, os 360° inteiros do zodíaco representam o tom básico e o número um, e os mapas harmônicos procuram unir os planetas que trabalham em conjunto em um mapa. Este é um cálculo complexo que, felizmente, a maioria dos bons softwares de astrologia faz para você. Não há signos e casas em um mapa harmônico, somente aspectos, e cada mapa harmônico reorganiza aspectos que estão conectados pelo número desse mapa harmônico, facilitando a visualização do aspecto.

Por exemplo, de forma muito simples, a quarta harmônica mostra como lidamos com estresse e dificuldades e une aspectos que dividem o zodíaco por quatro; a quinta harmônica indica talento e une quintis e biquintis; e a sétima harmônica representa inspiração e ilusão. Como pode haver uma grande quantidade de harmônicas, sugiro estudar isso depois de obter algum domínio sobre os princípios básicos de interpretação de mapas.

não podem ser integrados da maneira como ocorre em uma oposição ou quadratura.

Os dois são conflitantes porque as diferenças são muito complexas e é necessário encorajar uma profunda consciência e aceitação de um impulso interno para compartimentar as duas áreas da vida, de forma que a pessoa entenda por que essa necessidade existe.

A natureza discordante deste aspecto é refletida pelo fato de que 150° não é uma divisão exata dos 360° do zodíaco.

Por exemplo, uma pessoa com Vênus em Leão em quincunce ou inconjunção com Saturno em Capricórnio tem uma natureza amorosa muito brincalhona e alegre e muitas vezes tem um desejo de estar perto de crianças, revelando uma necessidade de trabalhar duro e de construir grande segurança. Essa pessoa se sentirá dividida entre a necessidade de brincar e a necessidade de trabalhar e terá dificuldade em resolver as duas, sempre sentindo que "deveria" estar fazendo a outra, o que gera um sentimento de culpa.

O QUINTIL Q 72°

O quintil divide os 360° do zodíaco por cinco para criar um aspecto de 72° entre dois planetas no mapa e, como tal, é um aspecto do dia ou uma inalação. Em um horóscopo, um quintil geralmente denota talento criativo, sobretudo em relação a padrões e estruturas. Aqueles com um quintil ou quintis em seu mapa costumam ser mais realizados na vida quando criam ou encontram padrões de comportamento que aproveitam ao máximo dos dois planetas aspectados, porque é nesses planetas que a pessoa é fortemente motivada.

Um quintil entre Mercúrio e Júpiter, por exemplo, significa que a pessoa é motivada a aprender o máximo que pode, pois Mercúrio é mente e informação e Júpiter é expansão. Essa pessoa pode estar constantemente lendo e/ou tendo aulas.

O Sol nunca pode estar em quintil com Mercúrio ou Vênus, pois os três viajam muito próximos e nunca estão separados por 72°.

A SEMIQUADRATURA ∠ 45°

O semiquadrante divide os 360° do zodíaco por oito. É metade de um quadrante e semelhante a um quadrante no sentido de que representa um bloqueio. A consciência do bloqueio é frequentemente ativada por eventos externos que convidam a pessoa a trabalhar para fazer a integração das duas energias. É muitas vezes uma área de inflexibilidade e o aspecto está na verdade convidando você a se tornar mais flexível e aprender maneiras de superar os bloqueios. Trata-se de um aspecto da noite ou exalação.

Uma semiquadratura entre Marte e Saturno, por exemplo, é aquela que muitas vezes traz uma tendência de desistir quando as coisas parecem muito difíceis, quando na verdade você está sendo impulsionado a enfrentar suas responsabilidades e compromissos com paciência e perseverança para superar o bloqueio. Quando essa lição é aprendida, a pessoa com este aspecto consegue mover montanhas.

A SESQUIQUADRATURA ⚼ 135°

Este é outro aspecto menor, cuja energia discordante é refletida pelo fato de não dividir os 360° do zodíaco por um número inteiro. Também é conhecido como sesquiquadrado. Este aspecto é, porém, um semiquadrante vezes três (3 x 45°), ou uma combinação de um quadrante e um semiquadrante, e isto dá uma indicação do que simboliza. Eu descreveria isso como prender a respiração, sem inalar nem exalar.

Este é outro aspecto que causa tensão e desafio e que precisa ser controlado, pois os dois planetas aspectados frequentemente levam a escolhas ruins que amplificam o simbolismo mais inferior dos dois planetas em questão.

O SEMISEXTIL ⚹ 30°

O semisextil é um aspecto que divide os 360° do zodíaco por 12, o que significa que os planetas aspectados estão em signos adjacentes. O orbe sugerido de 2° para luminares e 1° para outros planetas significa que isso muito raramente seria um aspecto dissociado ou fora do signo, embora ocorra. Este aspecto tem interpretações mistas, com uma linha teórica postulando que uma vez que os signos são adjacentes e, portanto, de modalidades e elementos diferentes, pode ser um desafio para os planetas trabalharem em conjunto. No entanto, existem outros que acreditam que o zodíaco é ordenado desta forma propositadamente e que a energia dos signos é de crescimento e evolução pessoal, com cada signo sendo construído a partir do anterior. Por causa disso, este aspecto é útil para o crescimento evolutivo da alma e é um aspecto do dia e inalação.

Ambas as interpretações podem ser verdadeiras dependendo do nível de consciência da pessoa. Alguém que já está no caminho do crescimento pessoal será mais propenso a conseguir integrar os dois planetas para criar oportunidades a partir de quaisquer dificuldades trazidas pelas duas energias.

O PLANETA MAIS ASPECTADO

O planeta mais aspectado por outros planetas e corpos essenciais é importante de ser analisado porque se torna um dos pontos focais, pois está conectado a muitos outros no mapa. Isto significa que qualquer interpretação do mapa deve incluir um exame cuidadoso deste planeta. Grande parte da vida da pessoa estará associada a tal planeta focal.

O planeta mais aspectado é desafiado porque a energia dele deve integrar muitos outros aspectos, mas, pela mesma razão, isso também torna o planeta um poderoso ponto focal. A natureza desse desafio é simbolizada por uma síntese de todos os aspectos e pode ficar muito complexa.

Por exemplo, se Mercúrio, o planeta da aprendizagem, for o planeta mais aspectado, grande sabedoria pode ser adquirida integrando toda a sabedoria dos planetas aspectados, mas também pode levar a hiperanálise, pois há informações demais para integrar. Grande parte da vida dessa pessoa estará conectada à coleta de informações, aprendizado e comunicação.

PLANETAS SEM ASPECTOS

Os planetas sem aspectos também são muito importantes. Devem sempre ser observados e geralmente são considerados aqueles que não apresentam aspectos ptolomaicos (conjunção, sextil, quadratura, trígono ou oposição) com qualquer outro planeta.

Os planetas sem aspectos representam partes do *self* que ficam sozinhas e podem ser difíceis de integrar na vida. No entanto, podem representar uma área de grande força ou uma área de vulnerabilidade e fraqueza, dependendo de como a pessoa responde ao planeta sem aspectos e seus outros pontos fortes, como dignidade ou debilidade. Visto que os planetas sem aspectos podem representar tanto dons quanto desafios, ambos difíceis para a pessoa incorporar, a compreensão do planeta pelo signo e pela casa pode ajudar a pessoa a enfrentar esses desafios e incorporar os dons que o planeta oferece.

Um planeta sem aspectos pode significar que uma pessoa se sente fora de sintonia e incompreendida pelo resto do mundo, principalmente se o planeta sem aspectos for pessoal, como o Sol, a Lua, Mercúrio, Vênus ou Marte.

Já examinamos a maioria dos componentes básicos de um mapa astral, entre os quais elementos, modalidades, planetas, decanatos e aspectos, e no próximo capítulo analisaremos as casas que indicam as áreas da vida no mapa.

Aspectos dissociados

Os aspectos dissociados também são conhecidos como aspectos "fora de signo" e podem ser mais difíceis de detectar.

A maioria dos aspectos é do signo ou para o signo de uma determinada modalidade ou elemento. Por exemplo, uma quadratura de um planeta em um signo mutável como Sagitário geralmente envolve outro planeta em Virgem ou Peixes, também signos mutáveis.

No entanto, por causa dos orbes, um aspecto pode ocorrer no que parece ser um signo "errado", e isso acontece quando os planetas aspectados estão nos últimos e nos primeiros graus dos signos.

Por exemplo, se a Lua estiver a 28° de Sagitário e Marte a 1° de Áries, eles ainda estariam em um aspecto de quadratura, pois a separação é de 93°. Uma quadratura exata seria 28° de Sagitário a 28° de Peixes, e os 3° extras levam o aspecto para Áries, mas ainda "em orbe".

CAPÍTULO 7

As casas

O HORÓSCOPO, OU mapa astral, é composto de muitos elementos que devem ser integrados para criar uma planta coesa de sua alma e do potencial evolutivo dela nesta vida. Examinamos os planetas e outros corpos essenciais que são o "o quê" em sua planta. Também analisamos os signos através da lente do *self* central, o Sol, que simboliza "como" os planetas se comportam em seu projeto.

Agora chegamos às casas, que são 12, rodando no sentido anti-horário no horóscopo. O horóscopo é uma combinação da roda do zodíaco, que representa a rotação anual do Sol ao longo da eclíptica, sob nossa ótica, com a roda das casas, que se baseia na rotação axial de 24 horas da Terra. Detalhes precisos do nascimento (data, hora e local) são necessários para criar um horóscopo, que une as duas rodas.

As 12 casas simbolizam as áreas da vida ou campos de experiência. É aqui que o "o quê" (planetas e outros corpos essenciais) e "como" (os signos) atuam em você e em sua vida. As casas seguem um caminho de desenvolvimento pessoal desde o nascimento (a primeira casa) até a morte (a 12ª casa). As casas também são como um pulso ou respiração do cosmos, como tudo o mais no horóscopo. Por exemplo, a primeira casa, regida por Áries e Marte, é uma casa do dia ou inalação, a segunda é uma casa da noite ou exalação, e assim por diante.

Acrescentar as casas na interpretação do horóscopo é uma das maneiras pelas quais começamos a entender a singularidade de cada planta cósmica. Uma pessoa com o Sol em Sagitário na segunda casa terá uma experiência de vida diferente de uma pessoa com o Sol em Sagitário na décima casa, por exemplo. A primeira terá mais ênfase central em valores pessoais e autoestima e a última terá mais foco na carreira e na vida pública.

A PRIMEIRA CASA: A CASA DO *SELF*

A primeira casa representa o nascimento e o início da vida. É a primeira inalação da vida e uma casa angular, do dia e voltada para a ação. A cúspide da primeira casa representa o signo no horizonte oriental no momento e no local de nascimento no horóscopo, visto sob a ótica daquele momento e local. A cúspide da primeira casa também é conhecida como o signo ascendente e representa o amanhecer de uma nova vida, pois a pessoa respira pela primeira vez ao nascer. A primeira casa é regida por Marte e Áries no horóscopo natural.

Esta é a casa do *self*, sua força vital, e o signo na cúspide ou início da casa se correlaciona com o ascendente e sua persona. O ascendente e a primeira casa são o seu recepcionista pessoal e representam a presença do *self* ou "eu sou", e é onde você se encontra antes de começar a amadurecer e evoluir.

Os planetas contidos nesta casa serão influenciados pelo signo na primeira casa e serão diretamente projetados para aqueles que você encontrar: são a forma como as pessoas o veem a princípio. Suas experiências na primeira infância e habilidades naturais também estão representadas na primeira casa, assim como sua experiência real de nascimento e suas reações espontâneas a estímulos externos.

A SEGUNDA CASA: A CASA DOS RECURSOS

A segunda casa é onde exalamos e tomamos conhecimento do mundo físico, do corpo, da natureza, das posses e do dinheiro. É onde estabelecemos nossas conexões com o mundo material. A segunda casa é o reino da matéria que podemos tocar, ver, ouvir, cheirar e provar e é uma energia da noite, pois estamos mais receptivos aos sentidos à noite. Esta casa é regida por Vênus e Touro.

Este é o reino de todos os recursos, incluindo seus recursos internos, autoestima, amor-próprio, valores fundamentais e relação com o corpo e o mundo natural. Este é também o reino do que você valoriza, sua relação com dinheiro e posses no reino físico.

A segunda casa é a autossuficiência e sensualidade, que são modificadas pelos planetas e o signo na cúspide da casa. Júpiter na segunda casa, por exemplo, em geral representa uma pessoa com elevado amor-próprio e uma grande habilidade para ganhar dinheiro, e que também provavelmente gosta de explorar a natureza.

A TERCEIRA CASA: A CASA DA COMUNICAÇÃO

A terceira casa é onde entramos em nossa mente consciente e começamos a aprender sobre o mundo ao nosso redor. É uma casa cadente, do dia e de inalação, porque nela aprimoramos as habilidades de percepção e observação e reunimos informações. Encontramos nossa voz nesta casa, aprendemos a escrever e desenvolvemos nosso estilo de comunicação. Também representa nossa educação infantil, estilo de aprendizagem e que tipo de aluno você é ou foi, bem como seus irmãos e vizinhos. A terceira casa é onde desenvolvemos a consciência de outros pontos de vista e do mundo maior que nos rodeia.

Também é o reino do transporte e viagens curtas, e-mails, fofocas, telefonemas e mensagens de texto, e é regido por Mercúrio e Gêmeos.

Saturno na terceira casa, por exemplo, pode indicar um aluno aplicado, mas uma pessoa de poucas palavras.

A QUARTA CASA: A CASA DO LAR

Na quarta casa exalamos novamente e voltamos ao reino da noite e em uma casa angular à medida que entramos em nosso lar, onde moramos, e em nosso lar interior, a parte mais íntima de nossa vida interior. Esta área da vida representa a base de nossa segurança, tanto emocional quanto materialmente. Sua educação está refletida nesta casa, juntamente com um ou ambos os seus pais e influências e padrões ancestrais. Em termos de desenvolvimento, é onde ficamos conscientes de nossa paisagem emocional interior e como respondemos emocionalmente ao mundo que nos rodeia.

Esta casa está associada à Lua e ao signo de Câncer. Uma área da vida que muitas vezes não é mencionada é o cuidado pessoal e o amor-próprio. A forma como você foi criado e como aprende a cuidar de si mesmo e a satisfazer suas necessidades emocionais estão refletidas aqui, incluindo o tipo de lar que você cria ou prefere.

Alguém com Plutão na quarta casa, por exemplo, pode ter passado por uma infância difícil, com algum tipo de luta pelo poder dentro de casa e pode ser levado a transformar isso em sua própria vida, rompendo padrões ancestrais.

> ## Sistemas de casas
>
> Existem pelo menos 50 sistemas de casas diferentes, que são um meio de dividir o horóscopo. Alguns dos sistemas mais comumente usados são os de Porfírio, Plácido, Koch e Signos Inteiros. Plácido é o sistema de casas padrão para grande parte dos softwares de criação de mapas e se tornou o mais popular porque havia mais tabelas de casas disponíveis quando os horóscopos eram desenhados à mão.
>
> Os astrólogos que se voltam ao renascimento helenístico tendem a usar o sistema de Signos Inteiros, e muitos astrólogos evolucionistas utilizam Porfírio – com alguns mudando para Koch, que é um sistema mais novo.
>
> Existem muitas maneiras de dividir o espaço e há um consenso geral em muitos sistemas de casa de que o horizonte (conhecido como o ascendente) inicia a primeira casa, o meio do céu (zênite) inicia a décima casa e as casas são uma divisão entre os ângulos. Meu sistema preferido é o Porfírio, que divide o espaço entre os ângulos por três, a trindade. No entanto, eu não recomendo um sistema específico e incentivo você a pesquisar por si mesmo para descobrir com o tempo qual você prefere.

A QUINTA CASA: A CASA DA EXPRESSÃO

A quinta casa é uma casa do fogo, associada ao Sol e a Leão, e é uma inalação da respiração, uma energia do dia e uma casa sucedente. É aqui que desenvolvemos nossa expressão e alegria criativa na vida.

No percurso de desenvolvimento da alma, eu sempre penso na quinta casa como sendo o adolescente e o lugar onde começamos a brilhar nossa luz no mundo, onde desenvolvemos nossa autoconsciência. Este é o reino das crianças, diversão e *joie de vivre* ("alegria de viver" em francês). É onde escolhemos hobbies e esportes, aprendemos a brincar e é a primeira das casas de relacionamentos, porque é onde encontramos relações amorosas. Sua capacidade de executar e seu estágio de vida estão refletidos na quinta casa.

Uma ênfase nesta casa normalmente indicaria alguém atraído pelas artes criativas e que encara o mundo com alegria.

A SEXTA CASA: A CASA DO SERVIÇO E DA SAÚDE

A sexta casa está associada a Virgem, um signo da terra, e é regida por Mercúrio. Trata-se de uma energia da noite, exalação e uma casa cadente. A sexta casa é onde encontramos nossa necessidade de ser úteis, de servir na rotina diária e no trabalho. Sua experiência de trabalho do dia a dia, a natureza do seu trabalho e seu estilo de vida cotidiana são representados aqui. A saúde também está associada à sexta casa, assim como os animais de estimação.

Em termos de desenvolvimento, a sexta casa é onde começamos a descobrir como podemos contribuir com o mundo e os outros. É onde começamos a mudar da nossa paisagem interior de desenvolvimento pessoal para o mundo exterior da idade adulta.

A energia da noite ou exalação da sexta casa é uma resposta ao que nos rodeia e um desejo de criar alguma ordem no mundo. Nesse sentido, limpeza e higiene estão conectadas, e sua resposta a todos os estímulos externos está refletida aqui.

A SÉTIMA CASA: A CASA DO RELACIONAMENTO E CASAMENTO

Na sétima casa nossa alma inala profundamente e entra de fato no reino do mundo exterior ou adulto. Esta casa é regida por Libra e Vênus, em sua encarnação diurna mais voltada ao exterior, e é uma casa angular do dia. Ela se correlaciona com o descendente, o ponto oposto ao ascendente, que reflete o que você atrai nos outros e aquilo pelo qual você se sente atraído.

A sétima casa está associada a todos os relacionamentos interpessoais significativos, incluindo o parceiro ou parceiros principais na vida. Também inclui filhos adultos, relações comerciais ou de trabalho importantes e amizades significativas. A natureza e os padrões de seus relacionamentos são refletidos aqui. Outra área associada a esta casa é o que Jung chamava de "*self* rejeitado", uma parte do *self* de que não gostamos e que criticamos quando vemos nos outros. Isso geralmente desencadeia uma forte reação emocional de desagrado em relação à pessoa que possui esse mesmo traço.

Como a segunda das casas de relacionamentos, a sétima casa representa onde nos juntamos em parceria, morando ou nos casando com uma pessoa. A oitava casa trata disso em relacionamentos mais longos.

A OITAVA CASA: A CASA DA INTIMIDADE E DA MORTE

A oitava é outra casa de exalação e da noite, onde mergulhamos em todas as coisas ligadas à escuridão, e está associada a Plutão e Escorpião. Trata-se de uma casa sucedente e é o reino dos relacionamentos profundamente ligados, parcerias de longo prazo que estão conectadas emocional, psicológica e sexualmente. É a energia da fusão de vida, recursos e corpos espirituais. Esta é a terceira casa de relacionamentos e onde existe a verdadeira intimidade em uniões de longo prazo.

Este é também o reino tanto da morte física quanto psicológica e da transformação e regeneração psíquicas. Heranças e outros assuntos, muitas vezes tabus, estão associados a essa área do horóscopo, assim como os campos da magia e do oculto. Trata-se do domínio da terapia profunda ou da exploração da alma e de sua relação com todo o poder compartilhado e material cármico. Poder e impotência são o objeto da oitava casa, e uma dinâmica de poder manipulador e/ou abusivo pode aparecer aqui. Isso inclui seus próprios reinos psicológicos sombrios, seus aspectos que você pode preferir não olhar muito de perto – embora seja também o reino do seu ouro interior, ou tesouro escondido. Portanto, a exploração destemida de sua oitava casa pode trazer grandes recompensas.

A NONA CASA: A CASA DO *SELF* SUPERIOR

A nona casa é outra inalação e uma energia do dia, que nos leva aos reinos da expansão e exploração do mundo e do aprendizado superior. Trata-se de uma casa cadente regida por Júpiter e Sagitário. A nona casa é a área associada a todas as formas de ensino superior (formal e informal), filosofia e crenças pessoais. A forma como vivencia tudo o que o divino representa para você está refletida aqui e, portanto, a religião também está associada a esta casa. Pode ser o lugar do dogma, mas geralmente refere-se à expansão da mente e da consciência.

Em termos de desenvolvimento, a nona casa nos leva a uma visão da busca do sentido da vida. Nela buscamos a verdade, a sabedoria e o conhecimento da lei natural, e também a compreensão de como o mundo e a natureza funcionam. A energia da exploração também significa que a viagem está representada nesta casa, incluindo longas jornadas da mente.

A DÉCIMA CASA: O *SELF* PÚBLICO

A décima casa é a parte mais pública do mapa e, ainda assim, é uma exalação e uma energia da terra e da noite, onde refletimos como somos vistos no mundo. Trata-se de uma casa angular regida por Saturno e Capricórnio. A décima casa é a natureza

> ### Quadrantes
>
> O horóscopo é dividido em quatro quadrantes assim como em diferentes hemisférios, e cada quadrante tem três casas, que são descritas como angular, sucedente e cadente.
>
> As casas angulares são aquelas com um ângulo (ascendente, meio do céu, descendente ou fundo do céu) na cúspide. As casas angulares são regidas pelos quatro signos cardinais – Áries, Câncer, Libra e Capricórnio – e representam a ação e o início de diferentes estágios de experiência de vida. A primeira é o início do autodesenvolvimento, a quarta é o desenvolvimento da consciência, a sétima é o desenvolvimento dos relacionamentos e a décima é o desenvolvimento da consciência pública e de grupo.
>
> As casas sucedentes são regidas pelos quatro signos fixos – Touro, Leão, Escorpião e Aquário. Nessas casas consolidamos aquilo que começou nas angulares.
>
> As casas cadentes são regidas pelos quatro signos mutáveis – Gêmeos, Virgem, Sagitário e Peixes. Nessas casas começamos a pensar na mudança que virá quando passamos de uma fase de desenvolvimento para a seguinte.

da nossa contribuição ou missão na vida, algumas vezes nossa carreira, e espera-se que estejam em alinhamento. Considerando que é o lugar onde você é mais visível ao mundo, esta casa também está associada à sua reputação pública ou status. É o reino do ancião sábio e onde criamos as leis feitas pelo homem – em oposição às leis naturais analisadas na nona casa. Trata-se de um lugar de muita importância e seriedade, onde construímos segurança financeira e física. Dever e responsabilidade para com os outros também estão representados aqui, assim como a integridade.

Como a quarta casa, esta também está associada a um dos pais – geralmente o pai ou mãe que está mais em contato com o mundo, ou que representa autoridade e sua relação com a autoridade e a sociedade estabelecida, tais como as instituições que nos governam.

A 11ª CASA: A CASA DA COMUNIDADE

A 11ª casa é uma inalação da respiração, uma casa sucedente, do dia, que nos leva para a comunidade em todas as suas formas e que está associada a Urano e Aquário. Este é o reino dos grupos de amigos, organizações e associações. Também está ligada a causas sociais, consciência social e política. Uma forte ênfase aqui significa que a pessoa provavelmente é humanitária e tem interesse em ecologia.

Outra associação a essa casa é a internet, graças ao aspecto comunitário dela, principalmente as redes sociais. Habilidades latentes ou não descobertas também podem ser encontradas aqui, e a casa está associada ao futuro, a grandes objetivos, novas ideias e descobertas.

Em termos de desenvolvimento, deixamos de criar ambições, regras e bases sólidas no mundo na décima casa e passamos agora para o reino das conexões sociais. Aqui aprendemos a nos desligar das regras impostas pela autoridade da décima casa para seguir nosso próprio caminho; passamos a explorar nosso próprio reino da inventividade para criar nosso futuro.

A 12ª CASA: A CASA DO INCONSCIENTE

Na 12ª casa, uma casa cadente, exalamos pela última vez nesta jornada ao entrarmos na energia da noite do inconsciente. Este é o reino de todas as coisas misteriosas e místicas, e está associado a Netuno e Peixes.

Esta casa é o momento antes do nascimento e o momento antes da morte, o líquido amniótico antes da primeira inalação na primeira casa, a experiência pré-natal e o momento de desvanecimento antes da última exalação. Todas as formas de estados alterados são representadas aqui, inclusive estados induzidos quimicamente e estados meditativos. Criativa e intuitiva, esta casa nos conecta ao conhecimento e à compreensão transpessoal. É um espaço liminar, o espaço entre mundos e está associada a todos os espaços de transição e atividades como transe, hipnotismo e mistérios.

Reclusão e lugares isolados também estão associados a esta casa, tais como prisões, monastérios, centros de retiro e hospitais. Este é um lugar de sonhos, da forte empatia e do desconhecido misterioso.

Agora que você conhece os elementos básicos de um mapa astral, é hora de analisar e começar a montar uma história coesa do *self*. No próximo capítulo veremos como cada elemento está envolvido na estruturação do mapa astral.

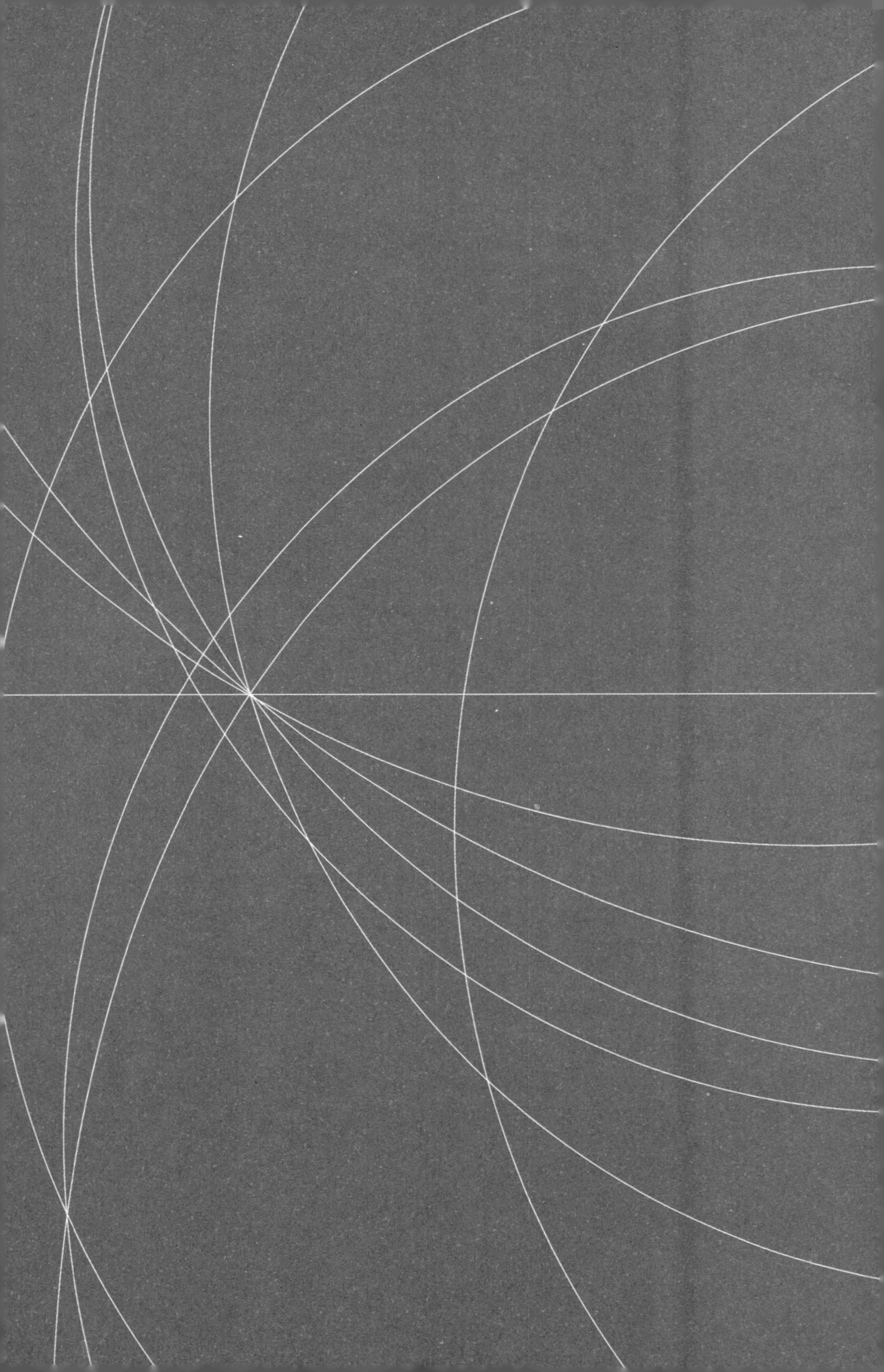

COMPREENDENDO O
MAPA ASTRAL

NA PARTE 2 pegaremos os elementos básicos examinados na parte 1 e passaremos a considerar o mapa astral como um todo. Isso inclui estruturar e interpretar o seu mapa astral e compreender outros corpos celestes.

PARTE 2

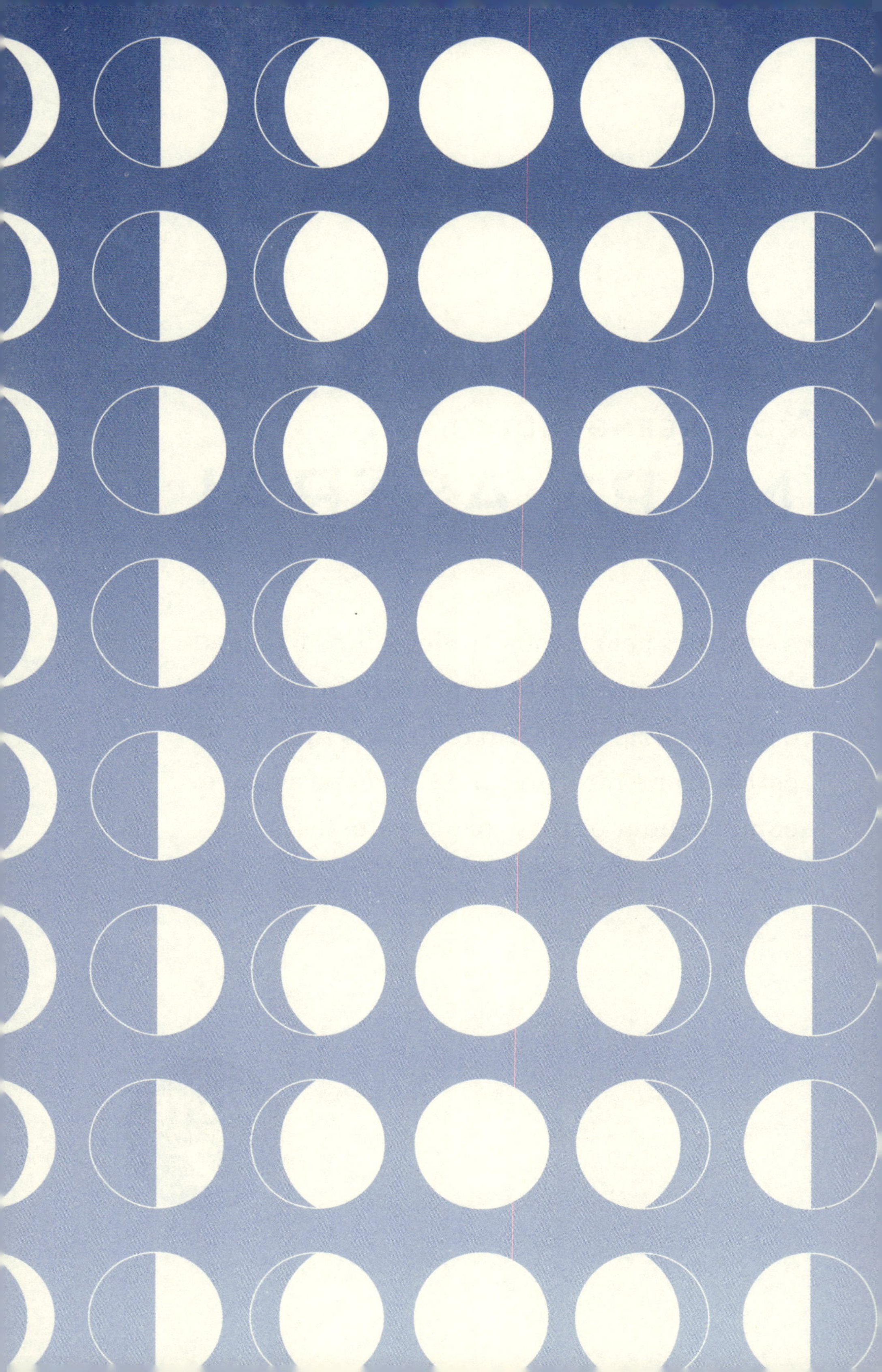

CAPÍTULO 8

Estruturando o mapa astral

NESTE CAPÍTULO revisarei brevemente os elementos astrológicos de signos, casas e planetas que discutimos na parte 1 e entrarei em mais detalhes sobre como cada um deles está envolvido na estruturação do mapa astral. Lembre-se de que estamos utilizando os conceitos de dia e noite e de inalação e exalação para indicar a natureza viva e pulsante do cosmos conforme ele funciona dentro de você.

OS SIGNOS

Em um horóscopo astrológico o anel externo do mapa representa o zodíaco, com o cinturão sendo os 12 signos astrológicos e, como qualquer círculo geométrico, contendo 360°. A roda medicinal ou "círculo dos animais" é dividida em 12 partes iguais de 30° que são levemente baseadas, mas não equivalentes, às constelações. A maioria dos planetas e outros corpos essenciais se movem pelos signos do zodíaco ao longo do plano da eclíptica, conhecida como órbita, em uma faixa estreita. Plutão e alguns dos planetas-anões recém-descobertos, no entanto, não seguem o mesmo plano orbital, o que lhes dá uma órbita excêntrica em comparação com os planetas mais tradicionais.

Os signos do zodíaco seguem sempre a mesma ordem, de Áries

a Peixes, indo no sentido anti-horário ao redor do anel externo do horóscopo. Os signos representam 12 impulsos e necessidades psicológicas, e todas as pessoas têm todos os 12 signos contidos em seu diagrama psicológico. Na ilustração a seguir, o signo no ascendente, 9 horas no mapa do exemplo, é Áries, mas o signo no ascendente em um mapa individual variará dependendo da hora e do local de nascimento. Você verá isso em dois exemplos de mapas no final deste capítulo.

CASAS

Os mapas astrais são divididos em 12 setores, como fatias de pizza, também se movendo no sentido anti-horário. As casas são fixas, mantendo a mesma posição em todos os mapas, e os signos

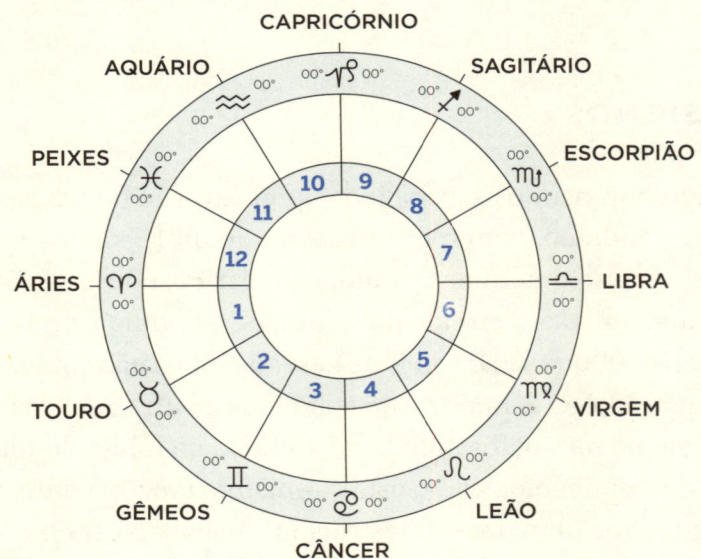

CASAS
Consulte a página seguinte para ver as descrições de cada um dos 12 setores que correspondem aos números neste diagrama.

Os 12 setores das casas

1
Casa do *self*
Inalação, dia
Personalidade
O que você projeta
Força vital
Experiências e habilidades na primeira infância

2
Casa dos recursos
Exalação, noite
Autoconfiança, valores
Relação com o corpo, mundo físico
Como você ganha dinheiro

3
Casa da comunicação
Inalação, dia
Percepção e observação
A voz
Estilo de escrita e comunicação
Educação na infância
Irmãos, vizinhos
Transporte e pequenas viagens

4
Casa do lar
Exalação, noite
Vida interior, privada
Segurança e base emocional e material
Satisfação das necessidades emocionais, autocuidado
Tipo de lar

5
Casa da autoexpressão
Inalação, dia
Expressão criativa
Alegria, prazer, brincar, hobbies
Relações amorosas, romance
Crianças

6
Casa do serviço e da saúde
Exalação, noite
Utilidade, serviço
Rotinas diárias e trabalho
Natureza do trabalho cotidiano
Questões de saúde, limpeza, dieta diária
Animais de estimação

7
Casa do relacionamento e casamento
Inalação, dia
O que você atrai e pelo que você se sente atraído
Relacionamentos significativos
Self rejeitado

8
Casa da intimidade
Exalação, noite
Relacionamentos com laços profundos
Questões psicológicas profundas
Transformação e morte
Heranças e recursos financeiros compartilhados

9
Casa do *self* superior
Inalação, dia
Expansão e exploração
Estudos superiores e filosofia
Crenças pessoais
Experiência do divino
Longas jornadas e outras culturas

10
Casa do *self* público
Exalação, noite
Contribuição ou missão na vida
Carreira
Visibilidade pública e reputação
Um dos pais

11
Casa da comunidade
Inalação, dia
Grupos e organizações
Amigos
Causas sociais, consciência
Humanitarismo
Política, incluindo política de gênero
Conexões na internet

12
Casa do inconsciente
Mistério, místico, meditação
Estados alterados, quimicamente ou de forma meditativa
Conhecimento transpessoal
Reclusão, retiros, monastérios, prisão
Sonho, empatia

giram em torno delas, da mesma forma que os signos e os planetas giram em torno da eclíptica sob a nossa ótica.

Com base na hora e no local de nascimento, cada casa terá um signo diferente em sua cúspide. Dependendo do sistema utilizado, algumas casas podem ter o mesmo signo na cúspide de duas casas. Consulte a seção sobre sistemas de casas no capítulo 7 (ver página 97).

PLANETAS

Contidos em cada um dos signos e casas estão os símbolos dos planetas e outros corpos essenciais. Cada planeta representa uma parte da psique que está contida no todo. O signo em que ele está representa como aquele planeta é ativado, e a casa representa a área da vida em que o planeta está ativo.

EXEMPLOS DE MAPAS

Vamos dar uma olhada em dois exemplos de mapas astrais: o da atriz Jodie Foster e o do jornalista Anderson Cooper.

Jodie Foster

Jodie Foster nasceu em 19 de novembro de 1962, às 8h14 da manhã em Los Angeles, Califórnia. A atriz tem o Sol em Escorpião, um *stellium* em Escorpião, a Lua em Virgem e ascendente em Sagitário.

Sugiro ter uma visão geral do mapa antes de entrar em detalhes. Este mapa é predominante em elementos da água, com o Sol, Mercúrio, Vênus, Júpiter e Netuno em signos da água. O ascendente está em Sagitário, um signo do fogo, com Marte em Leão, outro signo do fogo, em aspecto, e sua Lua, Urano e Plutão

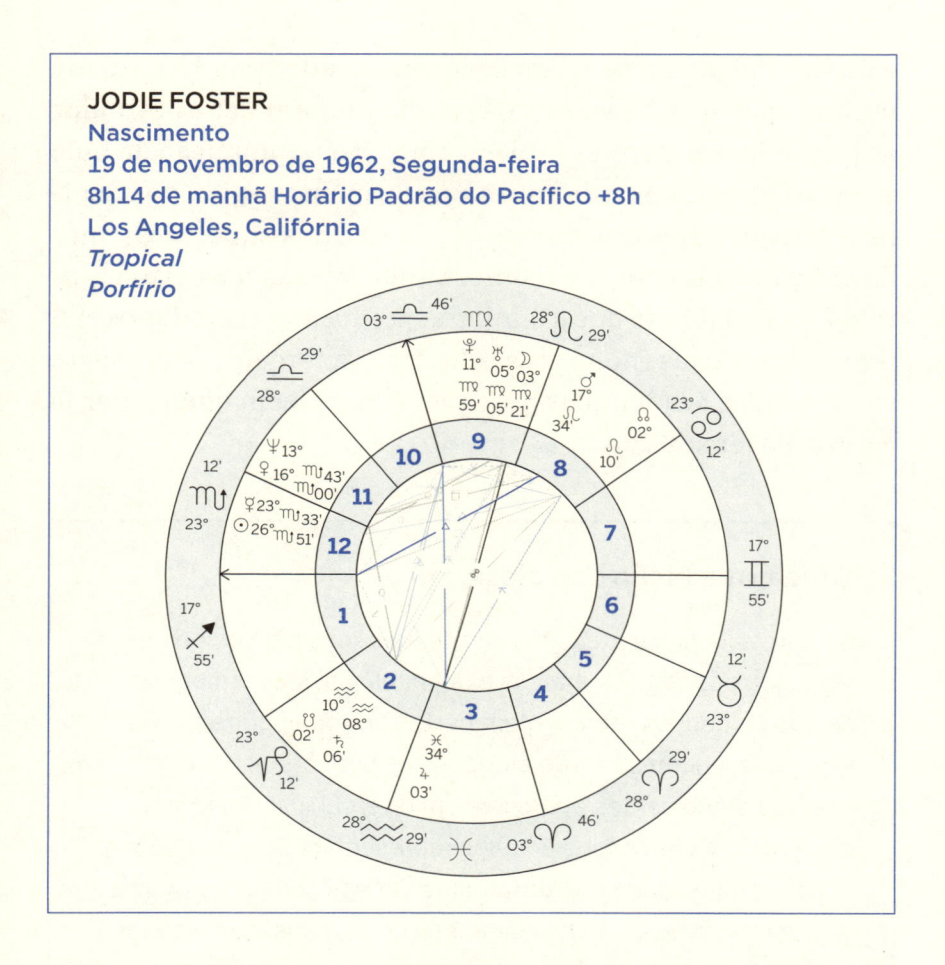

JODIE FOSTER
Nascimento
19 de novembro de 1962, Segunda-feira
8h14 de manhã Horário Padrão do Pacífico +8h
Los Angeles, Califórnia
Tropical
Porfírio

estão em Virgem, um signo da terra. Isso sugere que Foster é uma alma predominantemente espiritual, imaginativa e criativa. Sua modalidade primária é fixa, sugerindo que ela gosta de estabilidade, e sua modalidade secundária é mutável, de modo que ela consegue mover-se em meio a mudanças quando necessário.

Pessoas com ascendente em Sagitário costumam se sentir atraídas por viagens e estudos superiores. Foster fez as duas coisas, estudando na França ainda jovem, falando francês fluentemente e formando-se com grande distinção em Yale. O planeta regente de Sagitário é Júpiter. O Júpiter de Foster está em Peixes na terceira casa, sugerindo uma habilidade muito expansiva e quase tipo esponja de aprender e assimilar as informações. Júpiter está em oposição à conjunção da Lua, Urano e Plutão na nona casa (naturalmente regida por Sagitário), o que reflete sua atração por estudos superiores, mas também que ela ritualiza (conforme ela mesma relata) todas as religiões no lar para que a família seja educada em todos os sistemas de crenças (nona casa). Júpiter na terceira casa sugere suas proezas acadêmicas desde jovem, e dizem que Foster já conseguia ler aos 3 anos.

Uma nova visão dos planetas

Os nomes dos planetas geralmente homenageiam os deuses e deusas dos tempos antigos e da mitologia, mas lembre-se de que os deuses representam partes antropomorfizadas da experiência humana e são arquetípicos por natureza. Mitos e temas semelhantes aparecem em diversas culturas, com diferentes nomes dados àquelas representações arquetípicas.

Foi a humanidade que retratou os deuses como masculinos ou femininos, pelos limites de nossa compreensão, e isso foi transportado para a linguagem da astrologia.

Não estou sugerindo que renomeemos os planetas, mas que reconheçamos a falta de nuance humana imposta à interpretação astrológica dos planetas. Por exemplo, Marte foi descrito como masculino por centenas de anos, embora tradicionalmente regesse Áries e Escorpião, considerados signos masculino e feminino, respectivamente. Os planetas são tão matizados quanto os seres humanos. Todos os seres vivos, inclusive os corpos planetários, têm o dia e a noite dentro de si – o universo inteiro é, na verdade, de natureza não binária.

O Sol em um *stellium* de Escorpião que abrange a 11ª e a 12ª casas com o luminar na 12ª casa mostra uma natureza pessoal intensamente privada, pois tanto Escorpião quanto a 12ª casa são representativos de privacidade.

O Marte de Foster, regente tradicional de Escorpião, em Leão está na oitava casa, a casa natural de Escorpião, o que contribui para este desejo de privacidade – embora um Marte em Leão também denote habilidade de atuar no palco. O meio do céu de Libra também reflete sua natureza criativa, assim como a conjunção Vênus-Netuno em Escorpião. Os posicionamentos na água, na oitava e 12ª casas, e o Júpiter em Peixes sugerem uma natureza profundamente intuitiva e possivelmente psíquica. Mostram também um profundo desejo de explorar as motivações psicológicas dos outros, e Foster demonstrou isso através dos papéis que escolheu e dos projetos que dirigiu.

A conjunção Lua-Urano-Plutão em Virgem na nona casa também mostra sua inclinação por explorar emocionalmente áreas da vida profunda e psicologicamente traumáticas (conjunção Urano-Plutão). Sua atuação em *Taxi Driver* e *O silêncio dos inocentes* é emblemática, e o tema de sua tese em Yale foi Toni Morrison, cujos livros exploram a escravidão e o racismo na história afro-americana.

O mapa de Foster mostra uma natureza exploratória altamente inteligente com uma profunda sensibilidade, natureza intuitiva e poder emocional que ela traz ao seu trabalho público no cinema e que, por outro lado, mantém privado.

Anderson Cooper

Anderson Cooper nasceu em 3 de junho de 1967, às 3h46 da tarde, em Nova York. O elemento primário de Cooper é o ar, com um Sol em Gêmeos, ascendente em Libra e Marte em Libra em conjunção com o ascendente.

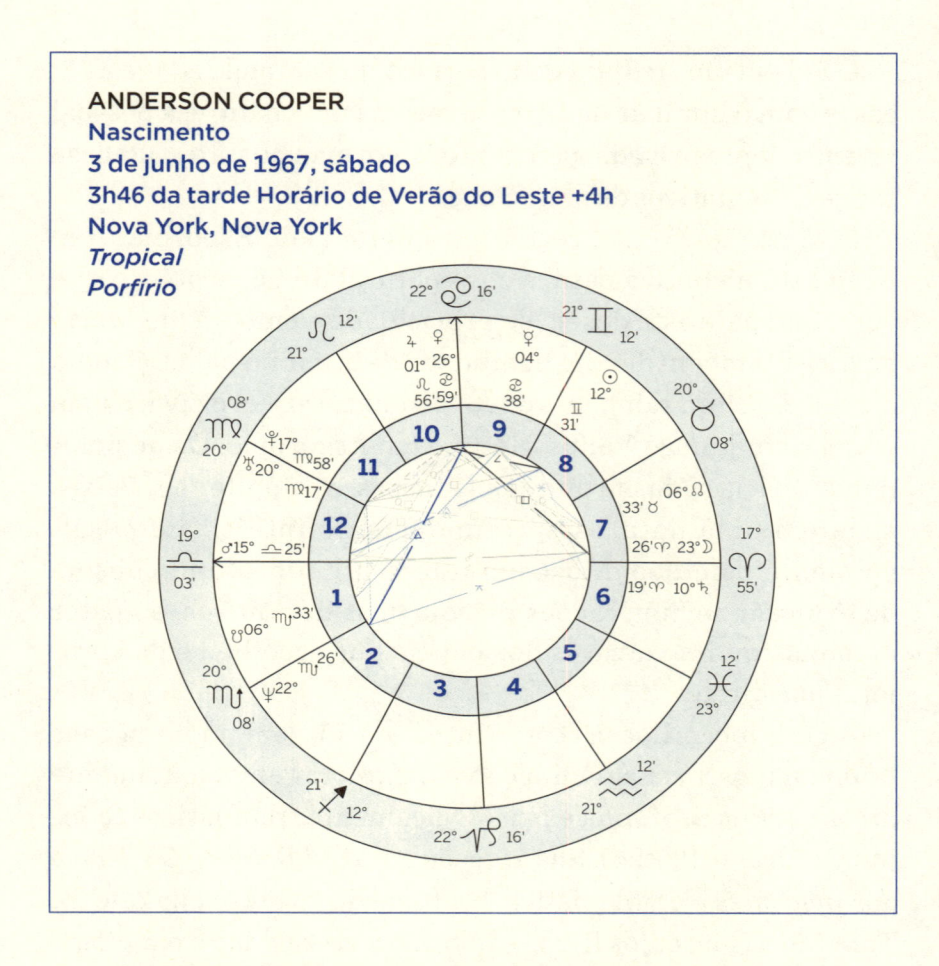

ANDERSON COOPER
Nascimento
3 de junho de 1967, sábado
3h46 da tarde Horário de Verão do Leste +4h
Nova York, Nova York
Tropical
Porfírio

A água vem perto em segundo lugar com o meio do céu, o planeta regente Vênus e Netuno em signos da água. Seguidos de perto pelo fogo em terceiro lugar, com a Lua, Júpiter e Saturno em signos de fogo. O único posicionamento de terra de Cooper é uma conjunção Urano-Plutão em Virgem. Cooper tem um bom equilíbrio de energia cardinal, fixa e mutável. A maioria dos planetas de Cooper está no hemisfério sul, ou na metade superior do mapa, sugerindo que ele é extrovertido e sociável. A primeira impressão é que ele é um indivíduo bem equilibrado.

Com um Sol em Gêmeos, ascendente em Libra com Marte em conjunção com Libra e o planeta regente, Vênus, na parte superior do mapa em conjunção com o meio do céu, não é surpresa que Cooper tenha escolhido uma carreira com um papel público – os signos do ar estão conectados com a mente, mídia e comunicação. Com Marte em seu ascendente e a Lua e Saturno em Áries regido por Marte, e ambos próximos do descendente, ele é motivado a seguir em frente e ter sucesso. A grande chance na mídia foi criada por ele mesmo (Áries) ao falsificar um passe da imprensa para entrar em Mianmar e vender seu próprio programa para o Channel One, uma pequena agência de notícias.

O forte elemento água, com Câncer no meio do céu, o planeta regente Vênus em Câncer e angular (em conjunção com o meio do céu), e Netuno em Escorpião sugerem uma natureza profundamente cuidadosa, o que motivou o trabalho investigativo. Muitas vezes ele mostra seu lado emocional no ar, e certa vez disse: "Sim, eu preferiria não ser emotivo e não ficar chateado, mas é difícil quando você está cercado por pessoas corajosas que estão sofrendo e passando necessidade."

A conjunção Urano-Plutão na 12ª casa sugere, porém, uma profunda conexão com trauma e indica isso em sua própria vida. Seu irmão se suicidou em 1988 e Cooper admitiu ter ficado insensível aos horrores da guerra após ser repórter de campo por vários anos. Seu Sol na oitava casa também sugere o impulso investigativo como seu ponto fraco. Felizmente, os fortes posicionamentos de água e fogo ajudam a equilibrar isso tudo, de modo que ele sabe quando mudar para o lado mais leve da vida para sair dos lugares mais escuros. O Sol na oitava casa também sugere que ele é reservado a respeito da vida pessoal.

O ascendente em Libra de Cooper o torna muito atraente e simpático na aparência e nos modos, e o Júpiter em Leão na décima casa lhe dá um encanto de astro. O Júpiter em Leão também é sugestivo de seu lugar na "realeza" norte-americana como um herdeiro da prestigiosa família Vanderbilt.

Agora que examinamos a estrutura do mapa e começamos a desenvolver ferramentas de análise por meio de exemplos, é hora de nos aprofundarmos ainda mais na interpretação do mapa e de integrarmos outros elementos. No próximo capítulo acrescentaremos outros elementos, como alguns dos asteroides e ângulos.

CAPÍTULO 9

Interpretando o mapa astral

NESTE CAPÍTULO nos basearemos em tudo aquilo que você aprendeu até agora e introduziremos mais alguns elementos que podem contribuir para aprofundarmos a interpretação do horóscopo. Importantes descobertas ou percepções podem ser obtidas a partir do posicionamento do Sol, da Lua e do ascendente, mas aquelas que encontramos a partir do acréscimo de outros planetas e elementos no mapa são inestimáveis à medida que seu conhecimento se aprofunda.

Nos capítulos restantes vou apresentar mais alguns elementos e guiá-lo por meio de uma compreensão prática de como ler seu próprio mapa. No entanto, gostaria de salientar que não há nada como a prática ao longo do tempo para obter um entendimento mais profundo.

Desenhar o mapa ficou mais simples com o advento dos programas de computador astrológicos. Antes disso você podia calcular um mapa utilizando uma Tabela de Casas e uma efeméride, mas hoje em dia há uma infinidade de opções para preparar um mapa usando o computador e a internet.

Algumas das melhores opções profissionais são Solar Fire, Matrix e Astro Gold, mas você pode fazer um mapa utilizando Astro.com (disponível em português), uma das melhores e mais completas opções gratuitas disponíveis. Astro Gold tem um aplicativo, e outras duas boas opções são Time Nomad e TimePassages.

SEU SOL ☉, LUA ☽ E ASCENDENTE ASC

O Sol, a Lua e o ascendente são os três principais indicadores de personalidade. Devem sempre ser considerados em primeiro lugar quando você começa a analisar um mapa. O Sol é o seu núcleo, a Lua é a sua alma e o ascendente é a sua persona. Para calcular com precisão a posição de todos os três (e dos outros elementos do mapa) é necessário ter os dados exatos da data, hora e local de nascimento. Isso se aplica ao Sol, principalmente se você nascer por volta do dia 21 do mês, pois o Sol se move para o próximo signo em dias e horários diferentes a cada ano. Os aspectos e as cúspides das casas também são mais precisos quando se sabe o momento correto de nascimento.

O Sol ☉

Conforme mencionado anteriormente, o Sol é a sua essência. É o seu ego, a sua força vital, o princípio organizador central do sistema solar e de quem você é. Regido pelo coração, pode-se dizer que o Sol é o maestro de sua orquestra. O propósito da vida e a consciência derivam do signo em que o Sol está e são modificados pela casa em que está posicionado e pelos aspectos com outros planetas. Aqueles que vivem a energia que o posicionamento de seu Sol representa são resolutos e possuem direcionamento. Como energia do dia e inalação da respiração, trata-se de quem nós somos ao agirmos no mundo, mesmo se o signo em que você estiver for uma energia da noite ou exalação. Por exemplo, um Sol em Câncer representa uma vida plena de significado ao nutrir e cuidar dos outros. O Sol é o presente, o aqui e o agora.

A Lua ☽

A Lua representa sua alma ou o núcleo mais profundo do seu ser. Trata-se de uma energia da noite ou exalação, onde os sentimentos e as necessidades são básicos. A Lua é uma energia subconsciente que é receptiva a tudo ao redor. É a resposta ao estresse e representa o que é necessário para conforto e sustento, e seus hábitos básicos e reações.

A energia da Lua no mapa é instintiva, é onde você tem pressentimentos. Como você vai agir conscientemente com base nessa intuição e pressentimentos vai depender de seu Sol. A energia da Lua é criativa, sentimental, adaptável e pode ser protetora ou temperamental e irracional, mas a forma como essa energia se expressa depende do signo e da casa em que a Lua está posicionada. Repetindo mais uma vez, o momento preciso do nascimento é importante para saber a posição exata da Lua, sobretudo porque a Lua é a energia que se move mais rapidamente no mapa.

A fase da Lua sob a qual você nasceu também tem alguma influência. A fase é uma relação angular ou aspecto entre o Sol e a Lua no mapa. Em resumo, caso tenha nascido com o Sol e a Lua em conjunção, você nasceu sob uma fase de lua nova (dia, inalação e 0º-45º),

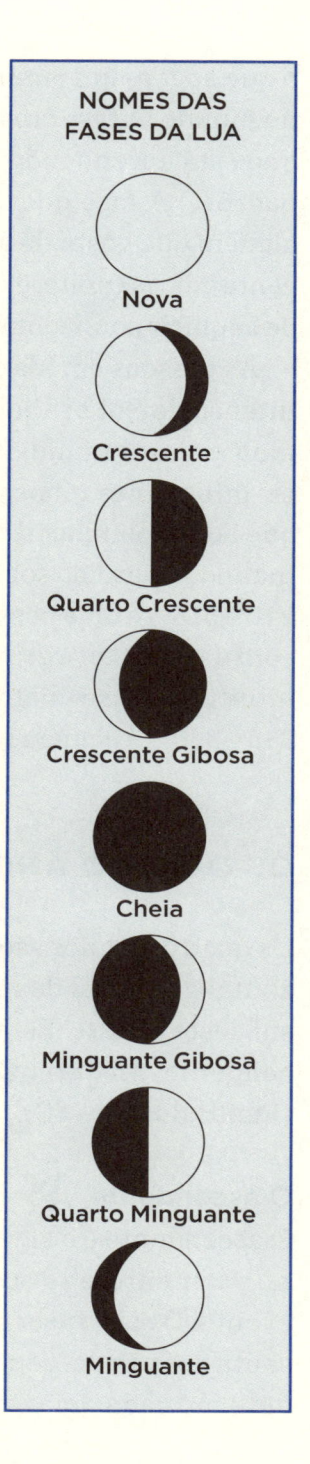

NOMES DAS FASES DA LUA

- Nova
- Crescente
- Quarto Crescente
- Crescente Gibosa
- Cheia
- Minguante Gibosa
- Quarto Minguante
- Minguante

o que sugere um empreendedor que quer fazer sua luz brilhar no mundo. A fase crescente (noite, exalação, 45º-90º) é aquela que está aprendendo a independência e abandonando velhos padrões. A fase quarto crescente (dia, inalação, 90º-135º) é alguém que gosta de agir e se esforça para mudar. A fase crescente gibosa (noite, exalação, 135º-180º) é alguém que tem sede de adquirir conhecimento na busca pela verdade.

As pessoas em lua cheia (dia, inalação, 180º-225º) têm a luz intensa do Sol brilhando sobre os sentimentos, e por isso são muitas vezes impulsivas e instintivas. A fase de disseminação ou minguante gibosa (noite, exalação, 225º-270º) é alguém que adora compartilhar seu conhecimento e sabedoria com o mundo. O nascido sob a fase de quarto minguante (dia, inalação, 270º-315º) é uma pessoa que se sente um pouco fora de sintonia com o mundo e precisa desenvolver uma relação com o seu *self* intuitivo. A fase final, balsâmica ou minguante (noite, exalação, 315º-360º) é alguém profundamente sensível e intuitivo.

OS QUATRO ÂNGULOS DO MAPA ASTRAL

Os quatro ângulos são formados pela interseção dos eixos horizontal e vertical do mapa e ocorrem em quatro pontos: norte, sul, leste e oeste. Estes são conhecidos como ascendente, descendente, *Medium Coeli* (Meio do Céu – MC) e *Imum Coeli* (Fundo do Céu – IC).

O ascendente ASC

O ascendente é o signo e o grau que está no horizonte oriental no momento e local de nascimento ou início de qualquer evento. O signo ascendente representa a parte que você apresenta ao mundo, seu "recepcionista", aquele que projeta uma determinada imagem quando os outros o conhecem. É a camada externa do ser conhecida como persona, também descrita como a máscara que só revela o que está querendo ser visto inicialmente.

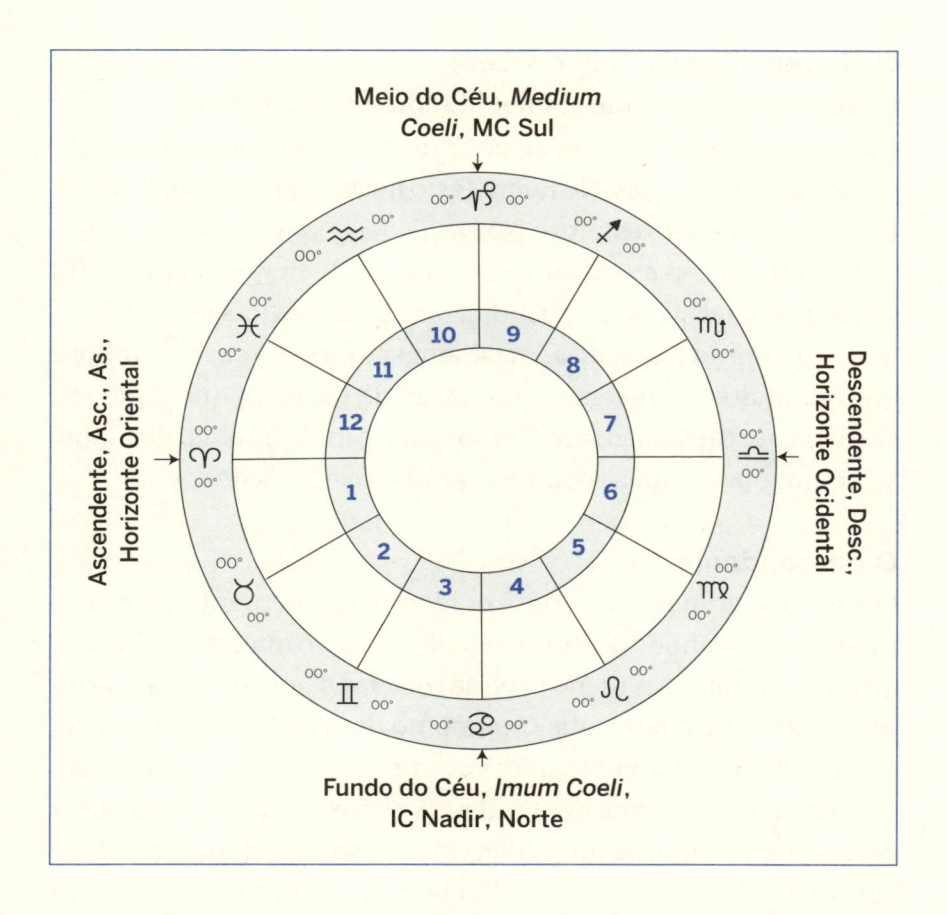

O ascendente também revela muito sobre o nascimento e a primeira infância de uma pessoa e, como tal, pode às vezes ser um mecanismo de defesa no início da vida e em situações desafiadoras. Porém, tendemos a evoluir em nosso ascendente e a vivê-lo de forma mais proativa à medida que envelhecemos. Por exemplo, uma pessoa com ascendente em Capricórnio pode ser muito séria e reservada quando jovem, mas tende a se soltar com a idade.

O *Medium Coeli* (Meio do Céu)

O meio do céu, também conhecido como *Medium Coeli* ou MC, é o ponto mais alto do mapa e a cúspide da décima casa na maioria dos sistemas de casas. No hemisfério norte representa o Sul e no hemisfério sul representa o Norte.

O meio do céu é o lugar mais público do mapa e representa a missão, objetivo ou contribuição na vida. Muitas vezes diz-se que representa a carreira, mas nem sempre é o caso – embora efetivamente represente a natureza da carreira que a pessoa seguiria em termos ideais. Como o lugar mais público do mapa, também representa a reputação pública e a posição social.

O descendente

O signo e o grau no horizonte ocidental no momento do nascimento, o descendente representa aquilo pelo qual você se sente atraído nos outros e como você se relaciona com outras pessoas importantes em sua vida. O signo no descendente representa a energia daqueles com quem você procurará parceria na vida. Caso tenha Gêmeos no descendente, por exemplo, você terá parcerias intelectuais muito divertidas. Isso não significa necessariamente o signo solar de Gêmeos, mas sim alguém que tem muita energia do ar no mapa, incluindo Gêmeos.

O *Imum Coeli* (Fundo do Céu)

O fundo do céu, também conhecido como *Imum Coeli*, IC ou nadir, está na parte inferior do mapa e representa o Norte no hemisfério norte e o Sul no hemisfério sul. Esta é a parte mais privada do mapa astral e representa a vida interior e mais íntima. O signo no nadir é a cúspide da quarta casa na maioria dos sistemas de casas e também representa um dos pais, geralmente aquele com maior inclinação para criar os filhos. O lar da infância e o lar que a pessoa prefere também são representados pelo nadir.

CALCULANDO OS ASPECTOS

Os aspectos são a base da interpretação moderna do horóscopo. Para mais detalhes sobre os diferentes aspectos, consulte o capítulo 6 (ver página 85).

Para calcular os aspectos, você precisa conhecer o grau e o signo dos planetas e o número de graus entre eles. Os graus e posicionamentos dos planetas e outros corpos nos signos podem ser encontrados utilizando uma efeméride, mas feliz-

Astrologia evolutiva

Na maioria das tradições astrológicas ocidentais modernas, o mapa astral é visto como um mapa do potencial evolutivo e de desenvolvimento da alma. O mapa também é conhecido como horóscopo, mapa da alma, projeto cósmico e mapa astral.

Neste livro, portanto, não vemos o mapa como uma mera descrição da personalidade imutável ao longo da vida, mas como um projeto rico em significado e possibilidades. Este desenvolvimento ocorre em função de trânsitos e ciclos planetários e pelo livre-arbítrio da pessoa para seguir o chamado da evolução e do desenvolvimento. Isso elimina grande parte das interpretações fatalistas de outras tradições astrológicas.

A astrologia preditiva tem seu lugar, sem dúvida. De forma alguma pretendo sugerir que esta abordagem evolutiva seja mais válida. A abordagem evolutiva apenas se adapta melhor à natureza do livro, pois nos leva a um enfoque não binário que funciona para todos. Em outras palavras, falamos tanto da intenção evolutiva da alma quanto da evolução da própria astrologia.

mente temos programas de computador que fazem isso para nós (consulte a página 121 para sugestões de sites e softwares).

PLANETAS EM SEU DOMÍNIO

Se um planeta está em seu signo original, então a força é intensificada, assim como as qualidades do signo e do planeta – sejam positivas ou negativas.

Por exemplo, Mercúrio em Gêmeos significaria um apetite mais voraz por aprender e também pode sugerir uma pessoa altamente social, dependendo de todos os outros fatores do mapa.

PLANETA REGENTE

O planeta considerado como regente do mapa, da pessoa ou do evento é aquele que rege o signo ascendente. O signo e a casa em que o planeta está modificam a energia ascendente. Por exemplo, se alguém tem Aquário no ascendente e seu planeta regente, Urano, está em Libra na sexta casa, então isso sugere que a pessoa tem um modo único e até peculiar de expressão criativa.

STELLIUM

Um *stellium* são três ou quatro planetas em um determinado signo, significando que a pessoa terá mais deste signo do que se houvesse apenas um planeta no signo. Como Mercúrio e Vênus se movem com o Sol durante grande parte do ano solar, os *stelliums* geralmente incluem um ou dois desses dois planetas pessoais.

PLANETAS EM RECEPÇÃO MÚTUA

Dois planetas estão em recepção mútua quando cada um está no signo que o outro rege. Quando em recepção mútua, os planetas estão conectados mesmo que não haja nenhum aspecto entre eles. Os dois se apoiam entre si, mas a qualidade do apoio depende da força de cada planeta no signo do mapa por triplicidade, exaltação, detrimento ou queda.

Por exemplo, se Marte está em Sagitário e Júpiter em Áries, ambos os planetas estão em um signo de triplicidade do fogo e, portanto, se apoiam bem.

ASTEROIDES E QUÍRON

Nesta seção examinaremos os quatro principais asteroides e Quíron – embora Ceres tenha sido promovido ao status de planeta-anão. Até agora, Ceres é o único corpo no cinturão de asteroides a ser promovido a planeta-anão. As definições astronômicas de corpos celestes estão mudando em função de novas descobertas; essas mudanças nas definições só parecem se adequar à medida que avançamos para um novo paradigma e começamos a alterar a linguagem usada na astrologia.

Quíron ⚷

Quíron é um dos corpos mais interessantes e incomuns da astrologia. Na mitologia, Quíron era um centauro, mas ele era diferente dos outros, que eram criaturas muito indisciplinadas. A maioria dos centauros tinha cabeça e torso humanos e rabo e patas de cavalo, mas Quíron tinha membros dianteiros humanos, mostrando uma qualidade mais humana. Quíron era professor, curandeiro e arqueiro, e imortal. Ao ser ferido por uma flecha envenenada, sua imortalidade o manteve vivo em agonia até ele desistir da imortalidade para salvar Prometeu.

Por causa do mito, Quíron é conhecido na astrologia como o curador ferido e dizem que representa a ferida no mapa. Se olharmos para o símbolo de Quíron, porém, veremos que tem a forma de uma chave. Combinado com a natureza do mito e a reputação de Quíron como professor, mentor e curador, é mais razoável considerá-lo como a chave para a cura em seu mapa. Quíron também é conhecido como a ponte de arco-íris entre o espírito e a matéria e o xamã rebelde.

Quíron não rege um signo, mas está associado às constelações Centauro e Sagitário e possui muitas qualidades sagitarianas – embora alguns também associem o centauro à Virgem por causa de suas habilidades de cura. Uma expressão pouco saudável de Quíron seria destacar a ferida, ao invés da cura potencial.

Alguém com Quíron em Aquário na segunda casa, por exemplo, pode nascer com a tendência de se sentir afastado dos outros e isso pode afetar a autoestima. No entanto, a busca de um conhecimento superior e uma comunhão com todo o Universo dará à pessoa a capacidade de ver o quadro geral de seu lugar na humanidade.

Ceres ⚳

Ceres é conhecida como a Grande Mãe, a deusa da agricultura, e está associada aos signos de Câncer, Virgem e Touro. No mapa astral, Ceres representa a forma como nutrimos e atendemos nossas próprias necessidades, conforme mostrado pelo signo em que o planeta-anão se encontra. A casa do posicionamento mostra que tipo de experiências o ajudarão a promover sentimentos de amor-próprio e autoaceitação. Isso equivale à sua linguagem de amor.

Ceres também está associada aos ciclos naturais, como os da gravidez e do parto, os ciclos de cultivo, as estações e os hospícios.

Ao viver a melhor expressão de seu Ceres, você se sintoniza com os ciclos da natureza e do corpo, e está honrando sua própria linguagem de amor.

Por exemplo, alguém com Ceres em Capricórnio na primeira casa sente-se bem ao realizar os objetivos pessoais e ao ajudar os outros a serem responsáveis por si próprios, mas também pode se identificar excessivamente com a responsabilidade de ensinar os outros e com a necessidade de impressionar as outras pessoas. Quando se volta mais para a realização interna e menos para a necessidade de controlar como os outros assumem a responsabilidade, ele expressa as qualidades superiores de seu Ceres.

Palas Atena ⚶

Palas Atena é a deusa da sabedoria e uma guerreira cujo glifo astrológico representa a lança da justiça em seu papel como protetora do Estado. Está associada aos signos de Libra, Leão e Aquário. Palas Atena representa a capacidade de uma pessoa para a sabedoria criativa e o pensamento original, o que cria novas possibilidades. No mapa, representa a visão inspirada e a capacidade de entender padrões complexos. Um posicionamento forte de Palas Atena é frequentemente encontrado nos mapas de astrólogos, então ela é conhecida como o "asteroide dos astrólogos". Eu tenho Palas Atena em conjunção exata com meu planeta regente, Júpiter. Palas Atena também é conhecida pelo desejo da alma de se mover em direção a um mundo menos binário e à androginia; portanto, é adequado que eu esteja escrevendo um livro que vai além do mundo binário que dominou a astrologia. Além de reger meu signo ascendente em Sagitário, Palas Atena está ainda em Sagitário em conjunção com o regente de Sagitário, o professor.

O posicionamento de sua Palas Atena, por signo e casa, indicará onde e como você é capaz de utilizar a inteligência criativa.

Vesta

Vesta é a chama eterna que arde dentro de cada um de nós. Na mitologia era a sacerdotisa da chama e deusa das Virgens Vestais e está associada aos signos de Virgem e Escorpião. Lembre-se de que o significado original da palavra virgem era "aquela que é inteira em si mesma", o que dá uma indicação importante da simbologia de Vesta na astrologia.

Vesta representa foco e compromisso. O posicionamento do asteroide no signo e na casa indica onde concentramos nossas energias ou a que nos dedicamos. Uma expressão pouco saudável pode sugerir fanatismo e obsessão em vez de foco.

Se uma pessoa tem Vesta em Escorpião na décima casa, por exemplo, ela pode estar profundamente concentrada em sua missão na vida e tender a se comprometer demais com isso, muitas vezes excluindo seus relacionamentos interpessoais, especialmente se não estiver consciente dessa tendência.

Juno

Juno era a consorte divina, esposa de Júpiter (Hera, na mitologia grega). Na astrologia, o asteroide Juno representa nossa capacidade de relacionamentos significativos e está associado aos signos de Libra (relacionamentos significativos) e Escorpião (relacionamentos profundamente ligados). O signo de Libra também está associado à justiça e, como tal, Juno também é representativo dos oprimidos e desfavorecidos.

O posicionamento de Juno no signo e na casa representa o que você mais deseja em um relacionamento. Em Sagitário e na 11ª casa, por exemplo, você exigiria crenças e visão de futuro mutuamente compartilhadas, e também que o parceiro fosse tão amigo quanto amante.

CAPÍTULO 10

Examinando mais de perto

NESTE CAPÍTULO vamos aprofundar alguns pontos mais delicados da interpretação do mapa astral. Isso inclui coisas como a ênfase no hemisfério, os nodos lunares, a Parte da Fortuna, planetas retrógrados, signos interceptados e trânsitos. Destes, os dois primeiros são os mais importantes na análise do mapa astral. Os trânsitos compõem uma técnica preditiva, mas neste livro só falaremos deles brevemente.

ÊNFASE NO HEMISFÉRIO

O mapa astral é dividido em hemisférios separados pelo horizonte, ou eixo horizontal, e meridiano, ou eixo vertical. Nesta seção examinaremos todos os quatro hemisférios e o que significa uma ênfase nos planetas e outros corpos essenciais em cada um deles.

Hemisfério sul

O hemisfério sul é a parte superior do mapa – em geral é mais extrovertido e objetivo e é uma energia do dia ou inalação.

Aqueles com um maior número de corpos planetários neste hemisfério provavelmente levam uma vida consciente, voltada para os eventos, e costumam ser estimulados pela interação com o mundo exterior.

A ênfase da casa deve ser combinada com a ênfase do hemisfério, pois as qualidades extrovertidas do mapa serão mais aparentes se a maioria dos planetas estiver na sétima, nona, décima e 11ª casas, e menos marcantes com uma concentração de planetas na oitava e 12ª casas, visto que essas duas casas são áreas da vida muito privadas com energia da noite ou exalação e regidas por signos da água, significando que são mais introvertidas do que as outras casas.

Hemisfério norte

A metade inferior do mapa astral é o hemisfério norte. Uma concentração de planetas aqui significa energia da noite e exalação e uma natureza mais introvertida. Trata-se de uma pessoa mais subjetiva e voltada para dentro, que leva uma vida mais intuitiva e receptiva.

É provável que ela goste da solidão e precise de um tempo sozinha para se sentir revitalizada. Da mesma forma, muito tempo com outras pessoas será desgastante.

Uma concentração na primeira e na quinta casas diminuirá ligeiramente essas qualidades, pois as duas casas têm uma aparência mais extrovertida.

Hemisfério oriental

No mapa astral, o hemisfério oriental é o lado esquerdo do mapa – uma ênfase aqui é mais energia do dia, de inalação. Uma pessoa com concentração de planetas nesta região é autodeterminada, voltada para um objetivo e propositiva. Esses indivíduos são mais propensos a utilizar sua vontade para, conscientemente, escolher e criar sua própria realidade. São muitas vezes vistos como obstinados e menos propensos a trabalhar bem em colaboração com outros.

Hemisfério ocidental

O hemisfério ocidental é o lado direito do mapa. Trata-se de energia da noite e exalação, onde é mais provável que nos rendamos à vontade dos outros e a forças além do domínio consciente. Esses indivíduos são mais colaborativos e cooperativos por natureza, mas também mais propensos a serem suscetíveis à pressão dos colegas.

Como são o tipo de pessoa que segue o fluxo, acham mais fácil mudar de curso mesmo que tenham escolhido conscientemente um determinado caminho.

OS NODOS LUNARES: ☊ NORTE E ☋ SUL

Os nodos lunares são os dois pontos em que a órbita da Lua se cruza com a eclíptica. O nodo norte é onde a Lua cruza a eclíptica na direção norte sob nossa ótica e o nodo sul é onde a Lua cruza na direção sul. Os dois nodos lunares são sempre opostos entre si.

Na maioria das interpretações astrológicas, os nodos lunares representam um caminho de desenvolvimento para a alma em cada vida, com o nodo sul representando o passado e o norte, o futuro. Conhecidos como cauda do dragão (nodo sul) e cabeça do dragão (nodo norte), também representam nossas reações emocionais padrão, ou hábito da alma, e o potencial da alma, ou hábitos que devemos conscientemente buscar. Eles são um contínuo de desenvolvimento, em que nem o nodo sul é totalmente ruim nem o nodo norte é tudo de bom. Um breve resumo do significado dos nodos é o seguinte:

- **Nodo Norte na Primeira Casa ou Áries:** desenvolve independência, coragem, espontaneidade e autoconsciência.

- **Nodo Norte na Segunda Casa ou Touro:** desenvolve valores fortes, autoestima, conexão com a Terra e os sentidos, paciência e lealdade.
- **Nodo Norte na Terceira Casa ou Gêmeos:** desenvolve curiosidade, tato, capacidade de ouvir, abertura a novas ideias e outros pontos de vista.
- **Nodo Norte na Quarta Casa ou Câncer:** desenvolve empatia, a capacidade de perceber e validar sentimentos, humildade e consciência e aceitação dos sentimentos e humores dos outros.
- **Nodo Norte na Quinta Casa ou Leão:** desenvolve autoconfiança, expressão criativa, disposição para se destacar e um senso de alegria e diversão.
- **Nodo Norte na Sexta Casa ou Virgem:** desenvolve um senso de servir, mais foco em rotinas e detalhes, moderação e ação compassiva.
- **Nodo Norte na Sétima Casa ou Libra:** desenvolve a capacidade de colaborar, diplomacia, consciência das necessidades dos outros e como viver e trabalhar com as outras pessoas, e compartilhar.
- **Nodo Norte na Oitava Casa ou Escorpião:** desenvolve menos apego ao valor material, consciência dos desejos e motivações dos outros, e compartilhar dinâmicas de poder.
- **Nodo Norte na Nona Casa ou Sagitário:** desenvolve a consciência e confiança em sua intuição ou orientação a partir da fonte, senso de aventura e autoconfiança, e percepção de uma consciência superior.
- **Nodo Norte na Décima Casa ou Capricórnio:** desenvolve autocontrole e respeito, assumir o papel maduro em situações, responsabilidade e dependência do *self*.
- **Nodo Norte na 11ª Casa ou Aquário:** desenvolve a autoaceitação e uma disposição a compartilhar ideias inventivas e não convencionais, a capacidade de trabalhar

em grupos e de se conectar com a comunidade de maneira igualitária e humanitária, e a capacidade de se conectar com pessoas que pensam da mesma forma.
- **Nodo Norte na 12ª Casa ou Peixes:** desenvolve compaixão, confiança e render-se à fonte ou ao princípio de criação coletiva, amor incondicional, bem como um caminho espiritual e práticas de autorreflexão.
- **Nodo Sul na Primeira Casa ou Áries:** trabalha para diminuir a pressão dos hábitos de impulsividade, egoísmo não saudável, problemas de raiva e excesso de assertividade.
- **Nodo Sul na Segunda Casa ou Touro:** trabalha para diminuir tendências teimosas, resistência à mudança, apego excessivo à posse e acumulação de bens materiais, comer demais, e outros excessos.
- **Nodo Sul na Terceira Casa ou Gêmeos:** trabalha para diminuir o impacto da indecisão, a crença de que você sempre precisa de mais informações ou mais estudo antes de agir, ignorando a intuição e confiando nas opiniões e ideias dos outros em vez de nas suas.
- **Nodo Sul na Quarta Casa ou Câncer:** trabalha para diminuir a dependência dos outros, a insegurança, o uso manipulador das emoções, o hábito de evitar riscos e o apego excessivo aos medos e à segurança.
- **Nodo Sul na Quinta Casa ou Leão:** trabalha para diminuir a necessidade de adulação e aprovação dos outros, o senso de se sentir com direito a tudo, a assunção de riscos e as tendências melodramáticas.
- **Nodo Sul na Sexta Casa ou Virgem:** trabalha para diminuir as tendências de se doar a ponto de se sacrificar pessoalmente, as dificuldades de receber dos outros, a paralisia por excesso de análise, a ansiedade e a preocupação, e ser crítico ao extremo.

- **Nodo Sul na Sétima Casa ou Libra:** trabalha para diminuir os hábitos de altruísmo, bancar o bonzinho em detrimento de si mesmo, codependência, e somente ser capaz de ver a si mesmo através dos olhos dos outros.
- **Nodo Sul na Oitava Casa ou Escorpião:** trabalha para diminuir hábitos obsessivos ou compulsivos, preocupação com as motivações e ações dos outros, hiper-reatividade e irritação com os outros, e atração por situações de crise.
- **Nodo Sul na Nona Casa ou Sagitário:** trabalha para diminuir os hábitos de ser dogmático e hipócrita, não ouvir o que os outros estão realmente dizendo, e comentar sobre os outros e falar as coisas antes de pensar.
- **Nodo Sul na Décima Casa ou Capricórnio:** trabalha para diminuir a necessidade de estar no controle e ser responsável por tudo e todos, precisando parecer forte em todos os momentos, e ser muito focado no objetivo.
- **Nodo Sul na 11ª Casa ou Aquário:** trabalha para diminuir o hábito de se desligar de situações emocionais e parecer frio, evitando confrontos e tendendo a se metamorfosear para se encaixar na multidão e se sentir aceito, em vez de abraçar sua individualidade.
- **Nodo Sul na 12ª Casa ou Peixes:** trabalha para diminuir a hipersensibilidade e se fingir de vítima, tendências a se retirar e desistir facilmente, escapismo extremo e evitar o mundo "real", e duvidar de si mesmo.

Fatos sobre os nodos lunares: eclipses e grupos de almas

Quando ocorre uma lua nova ou cheia perto dos nodos lunares, sob nossa ótica, acontecem eclipses.

Um eclipse lunar (lua cheia) ocorre quando a Terra fica entre o Sol e a Lua e dentro de 11° 38' de qualquer nodo lunar. Um eclipse solar (lua nova) ocorre quando a Lua fica entre a Terra e o Sol dentro de 17° 25' de qualquer nodo lunar. Quanto mais próximo o aspecto do grau dos nodos, maior a totalidade do eclipse.

Os nodos lunares permanecem em dois signos do zodíaco – o nodo sul em um signo e o nodo norte no signo oposto ou de polaridade – por aproximadamente um ano e meio. Todos os eclipses durante esse período serão em um dos dois signos.

Qualquer pessoa nascida durante esse período compartilhará os mesmos nodos, e como os nodos representam um caminho de desenvolvimento da alma, diz-se que essas pessoas pertencem ao mesmo grupo de almas.

O ciclo dos nodos lunares é de aproximadamente 18,5 anos, de modo que os nascidos por volta de 18,5 anos depois de nós nascerão nesse mesmo grupo. Aqueles nascidos aproximadamente nove anos antes ou depois de nós são nossos opostos nodais e em geral sentimos uma forte atração por essas pessoas, pois elas nos ajudam a desenvolver as características do nodo norte.

A PARTE DA FORTUNA ⊗

A Parte, ou Lote, da Fortuna é um ponto calculado a partir das longitudes do Sol, da Lua e do ascendente, uma técnica muito usada na astrologia antiga. Está sendo retomada com o ressurgimento da astrologia helenística. É uma das muitas técnicas árabes ou gregas, mas é a mais conhecida e utilizada. A Parte da Fortuna pode ser calculada na maioria dos softwares astrológicos.

A Parte da Fortuna é calculada pelo seguinte método: em um mapa do dia, que é um mapa onde o Sol encontra-se no hemisfério sul ou acima do horizonte, a Parte da Fortuna é encontrada onde a Lua estaria se o Sol estivesse no ascendente. Em um mapa da noite, em que o Sol se encontra no hemisfério norte ou abaixo da linha do horizonte, a Parte da Fortuna é encontrada onde o Sol estaria se a Lua estivesse no ascendente. Em ambos os casos, você conta o número de graus entre o Sol e a Lua e calcula essa mesma distância no sentido horário ou anti-horário, dependendo dos posicionamentos no mapa astral a partir do ascendente, para encontrar o posicionamento da Parte da Fortuna.

A Parte da Fortuna geralmente indica o que o nome sugere e mostra onde você pode encontrar sua sorte e com que facilidade encontra abundância ou riqueza. O signo e a casa em que a Parte da Fortuna está sugere a área onde você encontrará fortuna. Por exemplo, uma Parte da Fortuna em Gêmeos na sexta casa pode indicar a fortuna por meio da fala ou da escrita, especialmente se feito com o foco em servir aos outros.

PLANETAS RETRÓGRADOS

Diz-se que um planeta está retrógrado quando este parece ir para trás sob nossa ótica terrena. Nenhum planeta realmente retrocede; o movimento retrógrado é por causa de uma diferença relativa na velocidade quando os planetas estão em seu ponto mais próximo da Terra. Quando está mais longe da Terra, o planeta parece estar se movendo para a frente. Na verdade, todos os planetas em nosso sistema solar estão girando em torno do Sol; portanto, essa anomalia ocorre sob nossa ótica por causa das órbitas relativas.

Os dias em que um planeta parece parar e retroagir, ou avançar no fim do período retrógrado, são chamados de estações. O Sol e a Lua nunca parecem estar retrógrados. Todos os outros planetas retrocedem e Mercúrio fica retrógrado três ou quatro vezes por ano. Em um mapa astral, um planeta retrógrado terá um texto em vermelho ou um "R" próximo a ele. Um planeta estacionário terá um "S" próximo a ele. Os períodos retrógrados são mais fortes no início e por alguns dias após a data da estação.

O impacto do aparente retrógrado se deve à proximidade com a Terra e ao fato de o planeta parecer refazer uma área do zodíaco sob nossa ótica, tornando sua energia mais perceptível. O novo traçado na área do zodíaco nos leva a uma jornada mais interior ou da noite, ou nos convida a exalar e liberar algumas lições do período em que o planeta estava para a frente.

Se um mapa astral tem planetas retrógrados, então você provavelmente se sente um pouco fora de sintonia com o que é considerado a norma da sociedade nessa área da vida – você marcha sob o ritmo do seu próprio tambor. Também é uma área em que você está voltado mais para o seu interior. Isso é intensificado quando o planeta retrógrado é um planeta pessoal, como Mercúrio, Vênus ou Marte. Se Júpiter ou Saturno

Períodos retrógrados

Todos os planetas têm períodos retrógrados, apenas o Sol e a Lua nunca parecem retroceder. Todos os planetas aparecem retrógrados por períodos diferentes e com regularidades diferentes, conhecidas como período sinódico.

MERCÚRIO parece estar retrógrado três a quatro vezes por ano e é retrógrado por 21 dias a cada 3,8 meses.

VÊNUS parece estar retrógrado por cerca de 21 dias a cada 19,2 meses.

MARTE parece estar retrógrado por cerca de 72 dias a cada 25,6 meses.

JÚPITER parece estar retrógrado por cerca de 121 dias a cada 13,1 meses.

SATURNO parece estar retrógrado por cerca de 138 dias a cada 12,4 meses.

URANO parece estar retrógrado por cerca de 151 dias a cada 12,15 meses.

NETUNO parece estar retrógrado por cerca de 158 dias a cada 12,07 meses.

PLUTÃO parece estar retrógrado por cerca de 150 dias a cada 12,3 meses.

estiverem retrógrados, a pessoa pode se sentir de alguma forma estranha à cultura dominante. Se um planeta externo – Netuno, Urano ou Plutão – estiver retrógrado, a pessoa pode se sentir de alguma forma em descompasso com sua geração. É incomum ter mais de três retrógrados em um mapa astral, mas, se o tiver, a pessoa se sentirá muito fora de sintonia com o mundo em que nasceu e provavelmente será uma pessoa realmente única.

SIGNOS INTERCEPTADOS

Signos interceptados ocorrem ao se usar sistemas de casas desiguais, como os de Plácido, Porfírio ou Koch (ver página 101), que se baseiam no tempo – a primeira casa começa com o grau real do ascendente e as casas são de tamanhos diferentes, pois são calculadas dividindo o espaço ao redor da eclíptica por métodos diferentes. Nesses sistemas de casas a diferença de tamanho é maior quanto mais longe do equador a pessoa nasceu. A maioria dos astrólogos ocidentais modernos utiliza sistemas de casas baseados no tempo. As casas opostas são sempre do mesmo tamanho; assim, você sempre terá pelo menos dois signos interceptados, se houver algum. Isso também significa que o mesmo signo regerá a cúspide de duas casas.

Os astrólogos que praticam técnicas mais tradicionais costumam utilizar sistemas baseados no espaço, como os sistemas Signos Inteiros ou Casas Iguais, em que as casas são divididas igualmente por 30°.

Quando um signo é interceptado no mapa astral, a energia desse signo é mais difícil de ser acessada pela pessoa e representará bloqueios a partir dos quais ela descobrirá ter dificuldade em desenvolver essa parte de si mesma no início da vida

– ela precisará aprender conscientemente a desenvolvê-la. A análise do posicionamento e dos aspectos do planeta regente do signo interceptado pode ajudá-lo a aprender a acessar essa parte do mapa.

TRÂNSITOS ASTROLÓGICOS

Os trânsitos são um meio de interpretar o movimento contínuo dos corpos planetários conforme eles se relacionam com o mapa astral. Um planeta pode transitar por um planeta natal por qualquer aspecto e é uma forma de prever tendências e desenvolvimento pessoal. Interpretar um trânsito envolve combinar as palavras-chave para o planeta em trânsito por um signo e casa com o planeta ou ponto transitado no mapa pelo signo e casa.

Uma das maneiras mais importantes de analisar os trânsitos é observar os retornos planetários. Isso significa que o planeta retorna ao mesmo ponto em que estava no mapa astral, e geralmente só acontece para os planetas até Urano, pois Netuno tem um ciclo de 164 anos e Plutão tem um ciclo de 248 anos.

Os retornos lunares ocorrem a cada 28 dias e os retornos solares a cada 365 dias. Um mapa de retorno pode ser preparado para qualquer retorno planetário e significa o desenvolvimento e o foco da pessoa para o próximo ciclo desse planeta.

O mapa de retorno geralmente mais utilizado é o Mapa de Retorno Solar. Ele é preparado para o momento em que o Sol retorna ao grau e minuto em que estava no mapa astral. Os astrólogos diferem quanto a usar o local de nascimento ou a localização atual; eu prefiro usar o nascimento. O Mapa de Retorno Solar é lido como o mapa astral, mas voltado apenas para o ano seguinte. Portanto, o mapa é um indicador do que trará o seu próximo ano solar e de onde estará o seu foco.

Um dos retornos mais conhecidos é o de Saturno, que ocorre por volta dos 29, 58 e 87 anos de idade e indica os principais períodos de maturação ou estágios da vida.

Agora que olhamos mais de perto e acrescentamos profundidade à análise do mapa, passaremos a examinar sua vocação, para lhe dar uma ideia de quais carreiras se encaixam bem em cada signo do zodíaco.

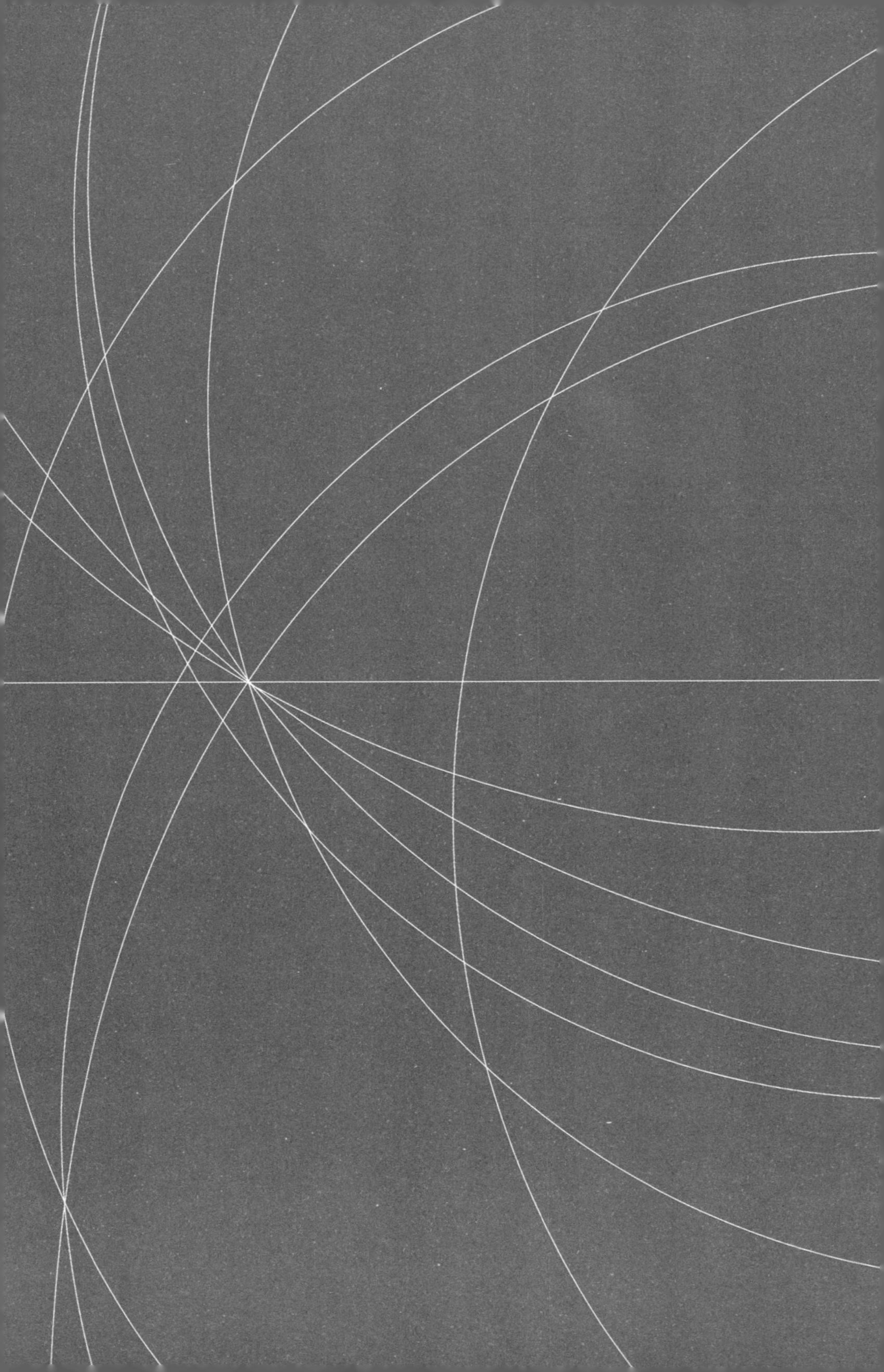

SIGNOS SOLARES NO TRABALHO E
NO AMOR

NA PARTE 3 examinaremos todos os 12 signos solares no trabalho e no amor para lhe dar algumas ideias sobre possíveis carreiras e sobre quão compatível cada signo é com os outros.

PARTE 3

CAPÍTULO 11

Sua vocação segundo o zodíaco

UM MAPA ASTRAL pode dar a uma pessoa uma ótima indicação sobre o tipo de trabalho que será mais gratificante e que complementa melhor seus talentos e habilidades únicas. Não pode, no entanto, dizer exatamente qual caminho de carreira seguir, de modo que é melhor ver isso como a abertura de possibilidades.

Neste capítulo veremos mais de perto carreiras ideais e perfis pessoais relacionados com essas carreiras para cada signo do zodíaco. Haverá sugestões de carreiras para cada signo, mas procure utilizá-las como trampolins para outras possibilidades. Por exemplo, fotógrafo pode ser uma sugestão baseada nos indicadores de carreira no mapa, como Gêmeos no meio do céu, mas se o mapa também tiver uma forte ênfase na oitava casa, a pessoa pode ser atraída para fotografias sensuais em função dos temas mais profundos e desafios da alma deste estilo de fotografia.

Para obter uma imagem clara da carreira mais adequada, você deve olhar para além do seu signo solar – sugiro verificar o signo no meio do céu ou cúspide da décima casa no mapa astral e, em seguida, olhar para o signo e casa de posicionamento do regente deste signo para ter um quadro mais claro do tipo de trabalho mais adequado para você. Uma leitura ainda mais profunda olharia para a sexta casa para ver o tipo de trabalho diário que se adequaria melhor à sua personalidade, além de uma ênfase no elemento e modalidade, *stelliums* em um signo e aspectos. Em outras palavras, o mapa inteiro deve ser considerado para se obter uma análise vocacional aprofundada. Nesse sentido darei exemplos de pessoas famosas em cada signo solar, mas nós somos mais do que apenas nossos signos solares; assim, leve tudo isso em consideração ao interpretar seu próprio mapa.

ÁRIES NO TRABALHO

Os arianos se encaixam melhor em carreiras nas quais assumem a liderança ou trabalham de forma independente, de preferência iniciando novos projetos com outras pessoas a quem possam delegar para terminar o que começaram. Gostam de ambientes agitados e competitivos, onde seu entusiasmo natural não será arrefecido. São geralmente ousados e prontos para qualquer desafio, preparados para assumir riscos e têm uma atitude objetiva. São pessoas destemidas, honestas e francas.

Bombeiro, cirurgião, técnico de emergência médica, diretor de arte, profissional de relações públicas, oficial militar ou policial, empreendedor, capitalista de risco, alpinista, guia turístico, instrutor de crossfit ou treinador esportivo, atleta, escultor de metal, mecânico, caçador, pessoa que trabalha com prata ou outros metais e chef de cozinha seriam carreiras ideais para um ariano.

O chefe ariano pode ser inspirador, dinâmico e um líder nato. Você não terá dúvidas sobre como ele se sente a respeito de seu trabalho, seja o maior elogio ou a crítica mais rude e direta. Não há vingança; o chefe ariano apenas é extremamente direto. Não gosta que fiquem pensando demais e espera que todos ponham muita energia no trabalho e concluam rapidamente os projetos. Também gosta de admiração e respeito, mas consegue ver de imediato qualquer falsa bajulação.

O funcionário ariano pode ser o mais dedicado e dinâmico se você não tentar mantê-lo em uma rotina rígida ou preso a uma mesa. Se os funcionários de Áries se sentirem entediados, provavelmente irão embora. Trabalham melhor quando têm autonomia e prestam contas ao menor número possível de pessoas. Se tiverem a liberdade de se responsabilizar pelos próprios horários e pela forma de trabalhar, serão os funcionários mais produtivos e dinâmicos.

Os colegas de trabalho arianos não são de fato os melhores para atuar em equipe, a menos que você fique feliz em deixá-los liderar e fazer suas próprias coisas. São competitivos e gostam de ser os primeiros e, por isso, não reagirão bem se seus colegas subirem na hierarquia antes deles. No entanto, se você não se incomodar em deixá-los liderar, podem ser cheios de entusiasmo e bastante inspiradores.

Arianos conhecidos
Lady Gaga, Elton John, Tommy Hilfiger e Jackie Chan nasceram sob o signo de Áries.

TOURO NO TRABALHO

Os taurinos se encaixam melhor em carreiras que lhes dão estabilidade e segurança. Os indivíduos de Touro são leais e tenazes, mas podem ser teimosos e laboriosos. Também gostam das boas coisas da vida: boa comida, ambientes bonitos e confortáveis e da natureza.

O taurino ama as coisas palpáveis da vida e, portanto, adora trabalhar com tangíveis. Significa coisas que eles podem tocar, ver, cheirar, ouvir e saborear.

Boas carreiras para o taurino: banqueiro, caixa, financista, oficial de hipotecas, cantor, fazendeiro, profissional do setor imobiliário, designer de interiores, podólogo, reflexoterapeuta, florista, jardineiro, paisagista, joalheiro, blogueiro de beleza, embaixador de uma marca, vinicultor, chef, fotógrafo de paisagens, assistente executivo e gerente de restaurante.

O chefe taurino é um construtor e expandirá e desenvolverá com persistência qualquer negócio ou campo em que trabalhe. Provavelmente é o chefe mais paciente de todos e gosta de um

Signos astrológicos dos ricos e famosos

Ao ler a lista da *Forbes* dos 100 artistas mais bem pagos em 2018 é divertido ver quais signos combinam melhor o talento e a habilidade para acumular riqueza.

As celebridades de Touro lideraram a lista com 12,68% dos 100 mais bem pagos nascidos sob este signo. Isso não é uma surpresa, pois os nativos de Touro são geralmente bons em construir riquezas. George Clooney, Dwayne "The Rock" Johnson e Jerry Seinfeld estão incluídos nesta lista.

Os sagitarianos são os artistas com menor participação na lista, com apenas 2,7% entre os 100 primeiros. Aqueles que nascem sob o signo de Sagitário tendem a valorizar a experiência em vez do dinheiro, e talvez por isso há menos deles na lista. Scarlett Johansson e Jay-Z são dois dos sagitarianos apontados.

No rol de bilionários da *Forbes* havia 27 librianos entre os 100 mais. Os librianos em geral são muito bons nos negócios. Ralph Lauren e Alice Walton estão incluídos aqui.

Surpreendentemente, já que Capricórnio costuma ser um signo ambicioso e trabalhador, apenas oito bilionários nasceram sob este signo. Jeff Bezos está na lista.

ambiente harmonioso e pacífico. Como tal, normalmente não é reativo quando se trata de pequenas questões. No entanto, questões maiores podem transformar o chefe taurino em um touro furioso, mas ele em geral dará ao funcionário a chance de corrigir os erros antes de perder a calma.

Como o chefe taurino gosta de solidez e resultados estáveis, costuma ser tolerante com aqueles que precisam de tempo extra para fazer algo bem, em vez de exigir que seja concluído às pressas. Adora funcionários disciplinados e cuidadosos em sua abordagem.

O funcionário taurino é confiável, estável e honesto. Tem uma presença tranquilizante no local de trabalho e não se deixa levar pelas crises – na verdade, uma crise pode despertar o que há de melhor nele, pois lida calmamente com a situação.

Os colegas de trabalho taurinos também são agradáveis de se ter por perto, embora seu ritmo reflexivo e sua resistência à mudança podem frustrar algumas pessoas que se movem mais rapidamente. No entanto, é provável que tragam bons lanches ao trabalho; assim, se você quiser uma guloseima é bom se conectar com eles. Também são fabulosos em ajudar os iniciantes a finalizar projetos.

Taurinos conhecidos
George Clooney, Stevie Wonder, Dwayne "The Rock" Johnson, Kenan Thompson, Sam Smith e Kristen Stewart nasceram sob o signo de Touro.

GÊMEOS NO TRABALHO

A natureza falante, curiosa e imprevisível dos geminianos significa que são mais adequados para carreiras que lhes dão oportunidades de continuar aprendendo com novas informações e de se reunir com muitas pessoas. Não são amantes da rotina ou de ficar sentados por muito tempo. Os geminianos são persuasivos, bons oradores em geral, joviais e adoram múltiplas tarefas. Apreciam ambientes de ritmo acelerado.

As carreiras mais adequadas para os indivíduos de Gêmeos são: cientista, publicitário, jornalista, escritor, professor, contador, programador de computador, engenheiro, gerente de projeto, analista de mídia, especialista em comunicações, intérprete, trabalhador do setor de transporte, motorista, contador de histórias, artista, apresentador de rádio ou podcast, blogueiro, fotógrafo, tutor, guia, assistente pessoal, vendedor ou apresentador de televisão.

Pode ser difícil trabalhar para um chefe geminiano por causa de sua natureza inquieta e imprevisível. Os geminianos estão em constante movimento. Trabalham melhor quando todas as tarefas rotineiras são delegadas e podem então lidar com ideias e projetos e sistemas abstratos. Mudança é uma constante com o chefe de Gêmeos e ele tende a notar tudo o que está acontecendo.

Os chefes geminianos são extremamente simpáticos, pois têm um grande senso de humor e adoram interagir em grupos – mas em geral são bastante distantes emocionalmente e não gostam de se envolver muito em questões pessoais entre funcionários. Para funcionários mais sóbrios, trabalhar para um chefe de Gêmeos pode parecer uma grande confusão, mas eles não são confusos. Caso consiga viver com a instabilidade e o ritmo acelerado, você vai se divertir com esse chefe.

Um funcionário geminiano não gosta de ser confinado de forma alguma e ficará muito agitado ao se sentir limitado, o que o torna ineficaz. Embora pareça distraído, ele de fato absorve informações e conclui o trabalho. Isso vale especialmente se suas habilidades naturais forem utilizadas. Também é provável que negocie aumentos com facilidade, pois sempre terá um bom argumento que justifique o pedido.

Como colega de trabalho, o geminiano será muito divertido – mas muito distraído, pois sua mente vai com frequência de um assunto a outro. Ele vai tagarelar com todos ao redor, e será a vida e a alma do ambiente de trabalho e provavelmente organizará festas e eventos.

Geminianos conhecidos
Marilyn Monroe, Paul McCartney, Harvey Milk, Venus Williams, Aung San Suu Kyi, Laverne Cox e Boy George nasceram sob o signo de Gêmeos.

CÂNCER NO TRABALHO

Os indivíduos de Câncer são adaptáveis e uma presença estimulante. São mais adequados a carreiras que envolvam cuidar de pessoas ou casas de alguma forma. Também são tradicionais e adoram qualquer coisa que tenha a ver com herança cultural e sentimento. A conexão com a carreira é importante, ou provavelmente se tornarão emotivos e talvez até irracionais. Em geral são bons com finanças.

Boas ideias de carreiras para os cancerianos são: enfermeiro, pediatra, ginecologista obstétrico, psicólogo, administrador, corretor de imóveis, arqueólogo, historiador, dono de buffet, confeiteiro, nutricionista, organizador profissional, praticante de feng shui, professor, chef de cozinha, gerente de conteúdo, especialista em *branding*, designer de sites, assistente social ou comerciante.

Os chefes cancerianos são rígidos a respeito da ética no trabalho e bastante dedicados a qualquer profissão ou negócio em que estejam envolvidos. Os funcionários serão recompensados pelo bom esforço em suas funções, mas qualquer negligência ou atraso não será bem aceito. As próprias necessidades dos cancerianos por segurança financeira tornam o ambiente de trabalho um local sério; portanto, se você tiver um chefe de Câncer, uma abordagem cuidadosa e sincera a tudo que você faz funcionará melhor.

Os funcionários cancerianos trabalham principalmente pela segurança financeira e, portanto, assumem uma abordagem séria em relação à carreira e são muito diligentes. Esperam ser recompensados por essa diligência com aumentos salariais decentes; se o forem, permanecerão no cargo por um longo tempo. Os funcionários de Câncer também têm por objetivo subir na hierarquia. A maior desvantagem é que, se um canceriano tiver qualquer problema emocional na vida, será difícil manter isso isolado do trabalho.

Os cancerianos são naturalmente bons em trabalhar em equipe e costumam ser gentis e atenciosos com os colegas. No entanto, precisam de um ambiente de trabalho sem estresse – se as coisas ficam caóticas, o mesmo acontece com suas emoções.

Cancerianos conhecidos
Nelson Mandela, Malala Yousafzai, George Michael, Missy Elliott, Michael Flatley e Danny Glover nasceram sob o signo de Câncer.

LEÃO NO TRABALHO

Os leoninos adoram estar sob os holofotes e são a realeza do zodíaco, ou pelo menos é assim que esperam ser tratados. Têm grande coração e são apaixonados, brincalhões, criativos e divertidos. Como são líderes naturais, são mais adequados para carreiras que os colocam nessa posição ou para fazer algo em que possam irradiar sua enorme luz.

Exemplos de boas carreiras para leoninos: ator, DJ, designer gráfico, publicitário, comediante, locutor, CEO, funcionário do governo, arquiteto, diretor, planejador de eventos, estrategista de mídia, youtuber, modelo, promotor de produto, executivo de vendas, joalheiro, artista ou animador infantil.

O chefe leonino nasceu para liderar e fará com que todos saibam disso. Os chefes de Leão são bons organizadores e inteligentes ao atribuírem tarefas a uma equipe. Também estão abertos a novas ideias, mas nem sempre são bons na hora de dar crédito àqueles que as tiveram. Geralmente criam um ambiente bastante chamativo para trabalhar e isso pode ser muito divertido se você sempre deixar que sejam o chefe. Nunca tente ofuscar os chefes leoninos, pois eles são muito orgulhosos e podem reagir como uma criança se contrariados.

Como funcionário, o leonino exige que acariciem seu ego e requer muitos elogios e atenção. Também responde bem a títulos e status. No entanto, se você o ignorar, ficará profundamente magoado e não responderá bem. Deve ter uma posição que mostre seus talentos – quando isso acontece, sua lealdade e orgulho pelo trabalho são imensos.

Se você for genuíno com um colega de Leão, ele será leal a você no local de trabalho. Os leoninos tendem a sentir que comandam o local de trabalho e por isso é conveniente deixá-los acreditar que sim. Quando ficam com o orgulho e o coração feridos, eles geralmente exibem um comportamento infantil e podem fazer beicinho, mas quando estão felizes, iluminam a sala e são benevolentes para com todos ao redor. É benéfico mostrar admiração e elogiar o chefe leonino porque ele retribuirá o amor a todos os funcionários.

Leoninos conhecidos
Madonna, Magic Johnson, Anna Paquin, Whitney Houston e Demi Lovato nasceram sob o signo de Leão.

VIRGEM NO TRABALHO

Os virginianos se encaixam melhor em carreiras que utilizam suas habilidades analíticas e críticas. São atraídos para trabalhar com as mãos, utilizando sua coordenação visomotora por meio de habilidades técnicas. Altamente organizados e detalhistas, também se sentem atraídos por carreiras que pareçam importantes e úteis para o bem maior. Em outras palavras, gostam de estar a serviço dos outros e seguirão qualquer carreira ao ponto da perfeição.

As carreiras ideais para os virginianos são: contador, nutricionista, pesquisador, crítico, analista de dados, estatístico, auditor, administrador do lar, organizador, investigador, investidor, técnico, escultor, web designer, designer de moda, modelador 3D, engenheiro de computação, veterinário, soldador, fitoterapeuta, recepcionista, psicólogo, psiquiatra, gerente financeiro, bibliotecário, bancário, pesquisador médico, editor, redator técnico, inspetor ou engenheiro.

O chefe virginiano notará cada detalhe e pode apresentar uma tendência a microgerenciar, pois quer que tudo seja feito de acordo com seu padrão de perfeição. Dedica muito tempo ao planejamento e à ponderação antes de tomar decisões, mas isso às vezes pode significar que ele não tem a perspectiva do quadro geral. Embora o chefe virginiano tenha padrões muito elevados, não costuma ser autoritário e é excelente na gestão de crises porque, como a maioria dos signos da terra, é paciente.

Como funcionário, o virginiano não tem ego inflado e deseja servir, mas possui senso de justiça, de modo que precisa ser recompensado de forma justa e provavelmente cobrará todos os detalhes de um contrato de trabalho. Como os virginianos tendem a se preocupar, o foco nos detalhes reflete toda e qualquer preocupação que tenham sobre não ser financeiramente estáveis e independentes. Coloque-os em uma posição que utilize sua atenção aos detalhes e você e sua empresa serão bem recompensados.

Os colegas de trabalho virginianos são zelosos e ajudam os mais desajeitados a observar os detalhes – mas podem parecer críticos e minuciosos às vezes. Também podem parecer ansiosos e estressados quando os detalhes não estiverem sendo cuidados. Mas, se você precisar de algum medicamento, seu colega de trabalho virginiano provavelmente o terá em mãos, pois possui um grande interesse por todos os aspectos da saúde. É provável que elaborem muitas listas de afazeres.

Virginianos conhecidos
Beyoncé, Pink, Keanu Reeves, Stephen Fry, Lily Tomlin e Madre Teresa de Calcutá nasceram sob o signo de Virgem.

LIBRA NO TRABALHO

Os librianos amam paz, harmonia e equilíbrio e trabalham melhor em uma atmosfera que reflita essa energia. Também são voltados às pessoas e adoram interagir com elas e formar relacionamentos, então não gostam nem um pouco de trabalhar sozinhos. Apreciam qualquer carreira que envolva promover justiça.

As carreiras ideais para Libra são: artista, gerente de recursos humanos (RH), mediador, diplomata, maquiador ou cabeleireiro, designer gráfico, advogado, cerimonialista, estilista, orientador educacional, negociador, planejador de eventos, enfermeiro, administrador de empresas, agente de controle de qualidade, músico, político, publicitário, professor de ciências sociais, assistente social ou gerente de relações trabalhistas.

O chefe libriano se sairia melhor trabalhando em parceria

do que sozinho, mas qualquer que seja o caso administrará uma organização séria e justa, tratando a todos com igualdade em todos os aspectos. Tentativas constantes de agradar a todos podem fazer o libriano parecer indeciso e vacilante. Não gosta de funcionários agressivos e críticos, e fica impressionado com aqueles que cuidam da aparência e jogam limpo.

O funcionário libriano traz sua presença tranquilizadora para qualquer situação de trabalho e será um modelo de tato e diplomacia, dando-se bem com quase todos, desde que o ambiente não seja barulhento nem problemático. Em geral é ambicioso, quer as merecidas promoções e, sendo um signo do dia e do ar, o nativo de Libra gosta de receber tarefas que estimulem suas capacidades intelectuais.

O colega de trabalho libriano é agradável, inteligente e costuma ser amigo de todos. Não toma partido em discussões acaloradas e às vezes pode levar as coisas para o lado pessoal, mas provavelmente será gentil com você para manter uma atmosfera agradável no local de trabalho.

Librianos conhecidos
Serena Williams, Martina Navratilova, Oscar Wilde, Will Smith, Bruno Mars e Cardi B nasceram sob o signo de Libra.

ESCORPIÃO NO TRABALHO

Escorpião é um signo intenso e complexo e funciona melhor em ambientes onde suas tendências quase obsessivas permitem que ele mergulhe profundamente no trabalho. Como são pessoas muito reservadas, trabalham bem sozinhas e não se deixam levar por conversa fiada e bate-papos na hora do cafezinho.

As carreiras adequadas aos escorpianos são: psicoterapeuta, cirurgião, detetive, pesquisador, engenheiro, cientista forense, consultor financeiro, analista de mercado, cobrador, investigador, político, analista político, agente funerário, médico legista, especialista em fertilidade, terapeuta sexual, químico, curandeiro do xamanismo ou fotógrafo.

O chefe escorpiano é intenso e pode ser intimidante, pois tem uma presença penetrante e consegue ver as intenções dos outros, e usa essa habilidade a seu favor. Ele não confia imediatamente nos funcionários, mas quando o faz recompensa pessoas merecedoras e talentosas. A falta de confiança pode criar problemas em termos de delegar tarefas, o que pode reduzir a produtividade da equipe.

O funcionário escorpiano é reservado, muito equilibrado e inspira confiança. São os trabalhadores mais engenhosos, obstinados e motivados, mas podem ser bastante intimidantes para empregadores e empregados. São mais bem alocados em um projeto complexo que lhes permita permanecer em sua zona de conforto e trabalhar sozinhos.

O colega de trabalho escorpiano possui uma forte presença e percepção da psique de seus companheiros. Suas habilidades naturais de escuta levam os outros a compartilhar seus problemas mais profundos com ele, embora não costume se abrir em troca. Por serem tão diligentes, os escorpianos são colegas de trabalho decentes, se você não espera nada delicado.

Escorpianos conhecidos
Leonardo DiCaprio, Jodie Foster, Drake, Whoopi Goldberg, Tim Cook, RuPaul e Julia Roberts nasceram sob o signo de Escorpião.

SAGITÁRIO NO TRABALHO

Os sagitarianos são naturalmente curiosos, otimistas, aventureiros e mais adequados para uma carreira que lhes dê a liberdade de explorar física ou mentalmente. Funções nas quais sua natureza filosófica possa brilhar e em que estejam constantemente explorando novos domínios também serão gratificantes para eles.

Os nativos de Sagitário são adequados para carreiras como teólogo, professor de ioga, editor, guia ou agente de viagens, intérprete, advogado, juiz, professor, embaixador, atleta (especialmente equestre), empreendedor, gerente de hotel, profissional de marketing, vendedor, missionário, arquiteto, arqueólogo, gerente de relações públicas, personal trainer, embaixador de uma marca ou blogueiro de viagens.

É divertido trabalhar para o chefe sagitariano e legal tê-los por perto. Eles são muito tranquilos e sua sede por conhecimento e novas experiências dão aos funcionários oportunidades de expandir seu próprio campo de conhecimento. A única desvantagem é a notória síndrome do sagitariano de falar as coisas erradas na hora errada, podendo ofender as pessoas ao redor com sua franqueza direta e irrefletida.

Como funcionários, sua perspectiva otimista é revigorante e seu entusiasmo e autoconfiança podem passar para os colegas. Questionam tudo o que é dito, porém, já que não gostam de ouvir "é assim que se faz e pronto", e sua franca honestidade pode ser mal recebida. Em geral, sua mente brilhante e abordagem perspicaz vencem.

É uma alegria ter um colega de trabalho sagitariano, se você conseguir acompanhá-lo. Geralmente têm um senso de humor irônico e adoram fazer os outros rirem – e também adoram uma boa discussão. No entanto gostam de levantar o moral dos que estão ao redor, o que faz com que seja bom trabalhar com eles.

Sagitarianos conhecidos
Taylor Swift, Billie Jean King, Nicki Minaj, Raven-Symoné, Gianni Versace e Jamie Foxx nasceram sob o signo de Sagitário.

CAPRICÓRNIO NO TRABALHO

Os capricornianos são verdadeiros construtores; adoram criar algo sólido e duradouro, seja um edifício, uma carreira ou uma empresa. São mais adequados para um ambiente que lhes permita utilizar sua forte ética de trabalho e são empresariais e corporativos por natureza, porque os capricornianos gostam de estrutura e hierarquias estabelecidas.

As carreiras adequadas aos capricornianos são: contador, organizador profissional, professor, caixa, ortopedista, planejador financeiro, programador de computador, CEO, redator, analista de negócios, arquiteto, consultor, analista, gerente de atendimento ao cliente, secretário jurídico, joalheiro, trabalhador da construção civil, eletricista, gerente de recursos humanos, gerente da cadeia de suprimentos, dentista ou profissional de gerenciamento florestal.

O chefe capricorniano é dedicado, trabalhador e totalmente focado na construção de sua carreira ou negócio. É tão focado que trabalha demais, muitas vezes em detrimento de qualquer diversão ou prazer na vida. O chefe de Capricórnio pode gerenciar uma equipe de forma muito eficaz e também é bom em administrar clientes difíceis e situações de crise. Membros da equipe sérios e trabalhadores impressionam o chefe capricorniano.

O funcionário capricorniano é provavelmente a pessoa que mais trabalha na empresa e faz isso sem qualquer drama e confusão. Como tal, é reservado e profissional, segue as regras do local de trabalho e obstinadamente procura subir na hierarquia.

Como colega de trabalho, o capricorniano tende a se certificar de que todos estejam fazendo seu trabalho de maneira correta e desaprovará qualquer companheiro que não seja pontual ou que seja descuidado em sua abordagem. Provavelmente, serão também os primeiros a concordar em fazer horas extras e são muito confiáveis, além de generosos por dedicar tempo e atenção aos colegas.

Capricornianos conhecidos
David Bowie, Ricky Martin, Denzel Washington, Ellen DeGeneres, Betty White e Mary J. Blige nasceram sob o signo de Capricórnio.

AQUÁRIO NO TRABALHO

Os aquarianos são os inconformados do zodíaco e não são os melhores seguidores de regras, de modo que se encaixam melhor em um ambiente que utiliza sua natureza inovadora e peculiar. Também são os humanitários do zodíaco e ficarão mais realizados se sentirem que sua carreira está ajudando algum tipo de causa. Costumam atuar em um nível mental muito elevado, de modo que se sentem mais felizes usando a mente.

As carreiras dos aquarianos são: astrólogo, astrônomo, programador, inventor, professor, engenheiro ambiental, estrategista político, juiz, assistente social, toxicologista, ator, gerente de projeto, pesquisador, psicoterapeuta, personal trainer, analista de dados, planejador ambiental, poeta, músico, eletricista, técnico em radiologia, consultor técnico, mecânico de automóvel, engenheiro aeroespacial, neurologista ou hipnoterapeuta.

O chefe aquariano é um reformador e inovador e gosta de criar novas maneiras de fazer as coisas – também está aberto às ideias inovadoras. Este chefe gosta de intelecto e é emocionalmente distante, de modo que não gosta de dramas emocionais no local de trabalho. Como os aquarianos são muito independentes em termos de pensamento e de vida, frequentemente os encontramos trabalhando sozinhos em vez de gerenciando uma equipe.

O funcionário aquariano terá muitos amigos, mas poucas amizades profundas, e atrairão a equipe ao seu redor. Também é provável que pareçam distraídos e esquecidos de detalhes mundanos, pois sua mente está constantemente ligando os pontos sobre como as coisas funcionam no esquema geral do mundo. No entanto são conscienciosos, leais e especiais.

O colega de trabalho aquariano é sempre interessante e interessado em você em termos intelectuais. Pode-se esperar dele que queira conversas intelectuais e que seja realmente amigável. Também pode tentar convertê-lo à sua última causa humanitária. São compassivos, mas desejam fazer algo ativo em vez de acalmar os outros emocionalmente.

Aquarianos conhecidos
Alicia Keys, Alice Walker, Justin Timberlake, Harry Styles, Michael Jordan e Oprah Winfrey nasceram sob o signo de Aquário.

PEIXES NO TRABALHO

Os piscianos são os sonhadores e criativos do zodíaco e se encaixam melhor em carreiras que lhes permitam fluir de forma intuitiva e criativa e mudar de direção para onde o humor os levar. O mundo corporativo geralmente não é adequado para eles, a menos que trabalhem em algo criativo, pois o trabalho mecânico não costuma ser o seu forte.

As carreiras mais adequadas ao nativo de Peixes são: vidente, médium, artista, decorador, assistente social, agente do terceiro setor, consultor, enfermeiro, fisioterapeuta, cineasta, músico, assistente de saúde, fotógrafo, terapeuta holístico, zelador, farmacologista, escritor de ficção, podólogo, anestesista, publicitário, físico, carcereiro, poeta, ator, recrutador ou mergulhador.

Os chefes piscianos são melhores quando trabalhando em setores criativos, pois são suaves e gentis, não sendo bons liderando e dando instruções. Funcionários contundentes desafiam os chefes de Peixes, mas eles trabalham bem se a equipe acreditar em sua visão e percepções intuitivas.

Os funcionários piscianos devem seguir uma carreira adequada à sua alma sensível. Ambientes barulhentos, desafiadores e agitados deixam o funcionário de Peixes infeliz. Se um pisciano trabalha em um ambiente calmo, fará isso diligentemente. A natureza empática dos nativos de Peixes os torna mais adequados para equipes pequenas, e precisarão se proteger das emoções de todos ao redor.

Piscianos conhecidos
Rihanna, Elliot Page, Wanda Sykes, Jon Hamm, Trevor Noah, George Harrison e Steve Jobs nasceram sob o signo de Peixes.

CAPÍTULO 12

O amor segundo o zodíaco

NESTE CAPÍTULO examinaremos mais de perto a compatibilidade romântica para cada signo do zodíaco.
Embora existam outras influências e fatores importantes no mapa de uma pessoa que ajudam a determinar a compatibilidade romântica, esta análise fornece um guia e uma visão geral de como cada signo solar lida com o amor. Se você quiser uma análise aprofundada, que vá além dos signos solares, os mapas astrais devem ser elaborados de acordo com a parte 2 (ver página 109). Essas informações devem ser usadas para proporcionar uma maior compreensão dos pontos fortes de cada indivíduo, a personalidade de cada um e então examinar como funcionariam juntos. Todos os planetas, posicionamentos nas casas e aspectos entre os dois mapas acrescentam detalhes e nuances para uma leitura da compatibilidade.

Observe que não há nenhum emparelhamento "bom" ou "ruim". Cada pessoa e signo é complexa, e qualquer combinação que tenha sido desaconselhada em muitos livros e artigos astrológicos pode efetivamente funcionar por causa das conexões de Vênus e Marte, por exemplo. Considere isso apenas como um guia geral e pense com a mente aberta, aplicando ao signo de Vênus da pessoa, por exemplo, as descrições usadas para o signo dela. Além disso, lembre-se de levar em conta o ascendente, os posicionamentos nas casas e os aspectos entre os mapas em questão para uma interpretação mais profunda. Somos seres humanos complexos e as conexões dos signos solares por si sós contam apenas uma parte da história.

ÁRIES NO AMOR

O ariano é ousado, direto e franco no amor e vai entusiasticamente atrás de alguém que deseja. Você sempre saberá como está em relação a uma pessoa de Áries por causa de sua franqueza. Frequentemente são os arianos que iniciam um relacionamento. Seu entusiasmo pela vida é muito atraente, mas pode ser um pouco opressivo e aparentemente agressivo para alguns signos mais delicados. Eles nunca deixam os problemas se acumularem ou virarem coisas mais sérias.

Combinações românticas

ÁRIES E ÁRIES é uma combinação ardente extremamente apaixonada. Ambos são independentes e competitivos, e isso pode levar a batalhas acaloradas e por vezes explosivas, pois os dois parceiros na verdade gostam do confronto.

ÁRIES E TOURO é uma combinação do rápido e apaixonado com o lento e sensual. Áries impulsiona Touro para a ação, enquanto Touro acalma o impulsivo Áries.

ÁRIES E GÊMEOS formam uma equipe, com Áries assumindo a liderança e Gêmeos fornecendo as ideias que são alimentadas pelo fogo de Áries. Esses dois se divertem muito juntos.

ÁRIES E CÂNCER formam uma grande equipe, com o parceiro de Áries assumindo todas as ações do mundo exterior e o parceiro de Câncer mantendo o fogo doméstico ardendo.

ÁRIES E LEÃO é outra combinação ardente com muita diversão e também algumas brigas explosivas. Áries é mais o iniciador, com Leão sendo aquele que efetivamente torna o plano real.

ÁRIES E VIRGEM é uma mistura de impulso e conservadorismo, com Áries proporcionando empolgação para animar Virgem e Virgem trazendo paciência e praticidade para manter Áries com os pés no chão.

ÁRIES E LIBRA é uma mistura de ação e independência de Áries com a negociação e jogo em equipe de Libra. Se Áries tentar se comprometer um pouco e Libra permitir que Áries assuma a liderança de vez em quando, isso funcionará bem.

ÁRIES E ESCORPIÃO é uma combinação apaixonada, em que a franqueza e honestidade de Áries penetrarão na energia mais privada e investigativa de Escorpião.

ÁRIES E SAGITÁRIO é outra combinação ardente e aventureira, com apenas a falta de tato de Sagitário e a necessidade de Áries de dominar causando problemas ocasionais.

ÁRIES E CAPRICÓRNIO pode ser uma combinação bem-sucedida se as necessidades individuais de independência e realização forem respeitadas e nenhum tentar controlar o outro.

ÁRIES E AQUÁRIO é outra combinação ousada e impulsiva e ambos tendem a compartilhar um senso de humor malicioso.

ÁRIES E PEIXES podem funcionar bem se Áries estiver ciente da sensibilidade pisciana e aprender a se comprometer um pouco. Peixes será infinitamente leal e fluirá com a espontaneidade de Áries.

TOURO NO AMOR

Um taurino apaixonado é leal e perseverante ao extremo e não terá pressa em se comprometer. Quando o faz, porém, você pode ter certeza absoluta que é para valer. Uma vez em um relacionamento, seu senso de lealdade familiar e estabilidade financeira o manterá dedicado à pessoa que escolher. Se ferido, ele acha difícil perdoar.

Combinações românticas

TOURO E TOURO são ambos leais e com os pés no chão; desfrutarão juntos de todos os confortos do lar e estarão preparados para trabalhar com o objetivo de criar esse lar.

TOURO E GÊMEOS são um par que precisará se comprometer, com um pouco menos de teimosia e um pouco mais de vontade de ser sociável por parte de Touro e com Gêmeos encontrando mais paciência e diminuindo um pouco o ritmo.

TOURO E CÂNCER são ambos leais e afetuosos e criarão um lar incrível juntos, satisfazendo as necessidades emocionais um do outro.

TOURO E LEÃO é um relacionamento que precisa de muitas concessões, pois Leão é apaixonado e vive pelo presente e Touro é prático e paciente e vive pela estabilidade. Naturalmente, isso significa que se houver o compromisso mútuo eles poderão ter tudo isso.

TOURO E VIRGEM são dois signos que combinam bem, pois ambos são práticos e responsáveis. Virgem traz um pouco de humor para a mistura e Touro traz mais sensualidade.

TOURO E LIBRA são regidos por Vênus – ambos são românticos e adoram o luxo. Se Touro puder ficar ciente da necessidade de

Libra de ser social e paquerador e se Libra puder ficar ciente da necessidade de Touro por estabilidade, então podem funcionar bem juntos.

TOURO E ESCORPIÃO é um caso em que os opostos se atraem, e ambos tendem a revelar o que há de melhor no outro. Financeiramente serão bastante estáveis e ambos são muito sensuais.

TOURO E SAGITÁRIO podem funcionar bem, pois Touro traz a base e a rotina para o, às vezes, inconstante Sagitário e Sagitário traz alguma espontaneidade e otimismo à mistura.

TOURO E CAPRICÓRNIO é uma combinação terrena e prática, com Capricórnio trazendo ambição e humor e Touro trazendo firmeza e fornecendo a base para a relação.

TOURO E AQUÁRIO exige a aceitação das diferenças, mas pode funcionar se ambos tiverem visões de vida semelhantes. Aquário gosta de agitar as coisas e adora exploração intelectual, enquanto Touro gosta de coisas mais práticas e terrenas, mas, lógico, se ambos puderem se comprometer, a relação funciona.

TOURO E PEIXES é uma boa mistura, com praticidade e estabilidade em Touro, enquanto Peixes é mais idealista e compassivo. Em vez de desafiar, ambos tendem a aprender com o outro.

TOURO E ÁRIES é uma combinação que atrai ou repele, com o acelerado Áries forçando Touro para a ação e Touro acalmando o impulsivo Áries.

GÊMEOS NO AMOR

Gêmeos no amor é agitado, paquerador e sociável e precisa de estímulo intelectual a ponto de frequentemente ver seu amor como seu melhor amigo – isso apenas significa que há menos ênfase no lado físico de um relacionamento. São ouvintes curiosos e fantásticos, o que tende a encantar todos os que encontram.

Combinações românticas

GÊMEOS E GÊMEOS são um par que realmente precisa de um pouco de terra prática no mapa de pelo menos uma pessoa. Será um relacionamento intelectual divertido e inquieto que pode ser instável, mas o fator amizade é elevado.

GÊMEOS E CÂNCER definitivamente precisam encontrar um equilíbrio entre sociabilidade e privacidade e entre o alegre e o sensível. A mistura de curiosidade, diversão e segurança emocional pode combinar bem se for criado com consciência.

GÊMEOS E LEÃO é uma parceria que leva a uma vida cheia de diversão, carinho e, provavelmente, festas. Eles se complementam no sentido de que Leão traz alguma estrutura e Gêmeos traz mais flexibilidade.

GÊMEOS E VIRGEM são signos regidos por Mercúrio e isso significa que ambos são adaptáveis e se comunicam bem. Virgem traz praticidade e Gêmeos ajuda Virgem a levar as coisas um pouco menos a sério.

GÊMEOS E LIBRA é uma boa combinação e é provável que o par saia muito, explorando novas experiências e pessoas e compartilhando ideias o tempo todo.

GÊMEOS E ESCORPIÃO é uma mistura de profundidade, privacidade, leveza e sinceridade que exige muitos ajustes um ao outro. Como sempre, pode funcionar se Gêmeos permitir que Escorpião fique sozinho com frequência e se de vez em quando Escorpião exercitar seu lado mais brincalhão.

GÊMEOS E SAGITÁRIO são um par que tem muito em comum. Ambos gostam de explorar intelectualmente e de debater, e ambos têm grande senso de humor. É um relacionamento leve e divertido.

GÊMEOS E CAPRICÓRNIO precisam de algum respeito mútuo e compreensão para funcionar, pois Capricórnio é sério e Gêmeos realmente não é. Como sempre, isso pode funcionar se Gêmeos for capaz de trazer um senso de diversão para Capricórnio e este puder trazer a base necessária para Gêmeos.

GÊMEOS E AQUÁRIO é um verdadeiro encontro de mentes, e os dois nunca ficarão sem ideias ou assuntos sobre os quais conversar. Ambos são sociáveis e cultivam sua independência.

GÊMEOS E PEIXES precisarão de concessões, pois Gêmeos é amigo de todo mundo e Peixes é emotivo, tímido e sensível. No entanto, ambos os signos são flexíveis, de modo que existe oportunidade para cada um se ajustar às necessidades do outro.

GÊMEOS E ÁRIES são ar e fogo e os dois elementos funcionam bem juntos. Os geminianos são os imitadores do zodíaco e provavelmente corresponderão à paixão de Áries, e a mente de Gêmeos será alimentada pelo fogo. Muita diversão!

GÊMEOS E TOURO não é a mais fácil das parcerias, mas isso torna as coisas interessantes. Touro pode achar Gêmeos difícil de acompanhar e Gêmeos às vezes desejaria que Touro fosse mais sociável e menos teimoso, mas se ambos puderem fazer concessões este será um bom relacionamento.

> ### Compatibilidade não é apenas o signo solar
>
> Eu apresento neste capítulo uma breve visão geral da compatibilidade dos diferentes signos, com base principalmente nos signos solares, mas existem outras maneiras de examinar a compatibilidade do mapa, como levar em consideração os elementos abaixo.
>
>   As energias do dia tendem a ter mais facilidade para se entender, o que significa uma combinação de signos do fogo e do ar: Áries, Gêmeos, Leão, Libra, Sagitário e Aquário. Eles geralmente terão relacionamentos animados, sociáveis e aventureiros, com os principais obstáculos sendo a praticidade e a conexão emocional.
>
>   Da mesma forma, as energias da noite, Touro, Câncer, Virgem, Escorpião, Capricórnio e Peixes são em geral mais compatíveis entre si e desfrutam de relacionamentos estáveis, produtivos e unidos, com os principais obstáculos sendo a falta de entusiasmo, espontaneidade e diversão.
>
>   O mesmo princípio pode ser aplicado às conexões no mapa astral entre quaisquer conexões planetárias, assim como conexões entre os ângulos nos dois mapas astrais.

CÂNCER NO AMOR

No amor os cancerianos são carinhosos e sensíveis, e se apaixonam rápida e fortemente. Eles tendem a se comprometer logo e dão o seu melhor ao parceiro, mas sua sensibilidade pode levar à carência emocional quando não se sentem correspondidos. Os cancerianos serão os defensores de seus amados; portanto, trate-os com o amor que merecem.

Combinações românticas

CÂNCER E CÂNCER resultam em relacionamentos muito amorosos, afetuosos e leais, com ambos sentindo as necessidades do outro com facilidade. Ambos precisam de segurança e podem ser temperamentais, mas cada um entende isso no outro, de modo que raramente é um problema.

CÂNCER E LEÃO é uma combinação muito amorosa e apaixonada, especialmente se o canceriano se lembrar de inundar o leonino de elogios e amor, e se o leonino puder moderar um pouco qualquer extravagância.

CÂNCER E VIRGEM formam um casal paciente, pé no chão e leal. Os dois signos se entendem muito bem e o Virgem terreno tem paciência com o humor de Câncer. Ambos os signos são geralmente caseiros e financeiramente conservadores.

CÂNCER E LIBRA são um par que pode ter dificuldades se o canceriano não compreender que Libra precisa estar perto de outras pessoas e se Libra não fizer um esforço para atender as necessidades emocionais de Câncer. Quando conseguem fazer isso, ambos podem desfrutar de novas maneiras de ser.

CÂNCER E ESCORPIÃO formam uma relação profunda e emocionalmente gratificante, com uma conexão intuitiva entre si. Escorpião precisa de mais tempo sozinho do que Câncer, mas isso raramente é um problema.

CÂNCER E SAGITÁRIO é uma parceria que pode ter dificuldades, pois Sagitário é um espírito livre e Câncer necessita de segurança. No entanto, os sagitarianos costumam se comprometer profundamente quando estão apaixonados, o que por si só pode significar que o casal funcionará com concessões.

CÂNCER E CAPRICÓRNIO é um bom relacionamento em termos de lealdade e segurança, mas os capricornianos podem ser emocionalmente frios demais às vezes, de modo que se aprenderem a mostrar um pouco de afeto podem ser muito bem-sucedidos.

CÂNCER E AQUÁRIO é uma mistura de necessidades emocionais e pensamento objetivo, que pode ser insatisfatório a menos que ambos reconheçam as necessidades diferentes um do outro.

CÂNCER E PEIXES são um par maravilhoso porque têm uma conexão quase psíquica e ambos são atenciosos e afetuosos. Câncer é o melhor dos dois com dinheiro e ambos vão adorar estar juntos em seu próprio mundo em casa.

CÂNCER E ÁRIES podem funcionar bem juntos se Áries estiver focado nas questões do mundo exterior enquanto Câncer estiver mais focado no lar e na família. Se o parceiro de Áries puder reservar um tempo para mostrar algum afeto, esse relacionamento funcionará com ainda mais sucesso.

CÂNCER E TOURO são outro par leal e afetuoso, e ambos estão focados na segurança doméstica, familiar e financeira. Eles atenderão bem às necessidades um do outro.

CÂNCER E GÊMEOS são uma boa parceria se Câncer puder aceitar a natureza alegre, divertida e sedutora de Gêmeos e se Gêmeos puder devolver essa atenção divertida para o parceiro com mais frequência do que para outros.

LEÃO NO AMOR

No amor os leoninos são empolgantes e generosos desde que se sintam amados em troca. São parceiros maravilhosos e atenciosos, e também bons pais. No entanto, por serem tão generosos, facilmente se magoam se não estiverem com alguém que os inunde de amor e atenção.

Combinações românticas

LEÃO E LEÃO são adoráveis juntos, desde que nenhum tente dominar o outro e ambos se cubram de amor, elogios e atenção. Se fizerem isso, então essa é uma combinação realmente feliz.

LEÃO E VIRGEM podem ser uma boa combinação, com uma interessante mistura de diversão leonina com estabilidade virginiana, desde que Virgem se solte um pouco e Leão não tente dominar o virginiano analítico.

LEÃO E LIBRA geralmente formam um casal atraente e charmoso que aprecia uma boa vida social em conjunto. Se derem atenção suficiente um ao outro continuarão a ser felizes.

LEÃO E ESCORPIÃO são dois signos teimosos e poderosos em que ambos são leais e gostam de uma boa briga dramática. Surpreendentemente, isso em geral funciona bem, embora seja muito intenso.

LEÃO E SAGITÁRIO são uma parceria muito divertida e ativa com um pouco de drama no meio. Os sagitarianos podem ter que tentar moderar a língua notavelmente contundente se não quiserem ferir o orgulho leonino, mas no geral é uma ótima combinação.

LEÃO E CAPRICÓRNIO podem ser uma boa equipe que aumenta a força com o tempo. Os pontos fortes se equilibram bem entre si e cada um pode inspirar o outro a alcançar objetivos mútuos.

LEÃO E AQUÁRIO são outra parceria animada e empolgante. No entanto, os leoninos requerem muita atenção e Aquário geralmente é um pouco distante e voltado para si mesmo para dar o suficiente. Se o aquariano puder aprender a fazer elogios, então isso funcionará bem.

LEÃO E PEIXES pode ser um bom relacionamento se Leão adotar uma abordagem dominante benevolente e carinhosa para com o sensível Peixes, em vez de esperar que o pisciano se defenda sozinho.

LEÃO E ÁRIES são uma parceria muito boa, mas ardente, e podem ter brigas homéricas, mas também compartilharão muitas risadas. A franqueza de Áries pode às vezes perturbar o coração terno de Leão.

LEÃO E TOURO podem ser um par maravilhoso se os dois conseguirem chegar a um acordo entre a necessidade de estabilidade e de um lar sólido do taurino e a natureza expansiva e apaixonada e as tendências para correr riscos do leonino.

LEÃO E GÊMEOS são um par emocionante e vívido. Ambos são bastante intensos e ousados e os dois são sociáveis e paqueradores, mas Gêmeos terá que dar um pouco de atenção a Leão para que seu orgulho não seja ferido.

LEÃO E CÂNCER são uma boa parceria se Câncer usar reforço positivo com o parceiro Leão em vez de críticas, pois Leão costuma retribuir o amor e o apreço demonstrados a ele.

VIRGEM NO AMOR

Os virginianos apaixonados são os amantes intelectuais do zodíaco e fazem uma abordagem cautelosa e conservadora do amor. Adoram estar com alguém que possa manter uma conversa inteligente, mas são muitas vezes atraídos por um parceiro mais extrovertido e direto que dará o primeiro passo. Preferem o compromisso e mostrarão seu afeto fazendo algo pelo parceiro em vez de palavras floreadas ou muitos toques.

Combinações românticas

VIRGEM E VIRGEM pode funcionar se os dois parceiros se comprometerem a deixar o trabalho de lado regularmente. Os dois têm tamanha sintonia que poderia ser uma relação "só trabalho e sem diversão" sem esse compromisso.

VIRGEM E LIBRA pode ser uma boa mistura entre sério e frívolo se ambos aceitarem a abordagem do outro. O bom é que a comunicação é uma habilidade em que ambos se destacam; portanto, discutir as diferenças pode ajudar.

VIRGEM E ESCORPIÃO são um par compatível se Virgem não tentar analisar logicamente o sentimento profundo de Escorpião e aceitar que ele tem uma autoconfiança inata e tranquila e passa muito tempo em silêncio quando familiarizado com uma pessoa.

VIRGEM E SAGITÁRIO é um encontro de mentes, mas ambos vêm de abordagens diferentes, com Virgem sendo mais introvertido e reservado e Sagitário mais extrovertido e despreocupado. Se os dois puderem se encontrar no meio este par vai funcionar.

VIRGEM E CAPRICÓRNIO são dois signos da terra e são uma boa combinação. Os dois se entendem e se complementam muito bem.

VIRGEM E AQUÁRIO se divertirão intelectualmente, mas Virgem pode ter dificuldades com o fato de o aquariano ser pouco prático, embora a mistura de imaginação e praticidade possa funcionar.

VIRGEM E PEIXES é uma mistura desafiadora de praticidade e sonhos idealistas que somente pode funcionar se os dois fizerem concessões, com Peixes tentando ser um pouco menos sensível e Virgem tentando ser um pouco mais.

VIRGEM E ÁRIES funcionará se Virgem deixar Áries ser a luz que conduz e se Áries permitir que Virgem cuide dos detalhes práticos e perceber que ele simplesmente gosta de fazê-lo e não está tentando controlar.

VIRGEM E TOURO compartilham um senso de responsabilidade e o desejo de serem produtivos e confiáveis, contribuindo para um relacionamento estável e harmonioso, com Touro trazendo mais sensualidade e Virgem trazendo um grande senso de humor.

VIRGEM E GÊMEOS são um par com alto nível de compatibilidade intelectual, com Virgem sendo mais prático e Gêmeos mais sociável e, por vezes, frívolo. Conversar sobre as coisas é algo que sempre poderá ajudar esses dois.

VIRGEM E CÂNCER é uma combinação muito compatível, com ambos sendo mais introvertidos e leais. Esses dois geralmente têm uma compreensão mútua muito intuitiva.

VIRGEM E LEÃO pode funcionar se Virgem tentar não ferir o orgulho de Leão e Leão tentar não ser dominador.

LIBRA NO AMOR

Os librianos adoram amar e se apaixonar. São muito carinhosos e amáveis e adoram receber o mesmo em troca. No entanto, são muito exigentes sobre com quem se relacionam e não se sentem à vontade com parceiros inseguros ou não atraentes fisicamente.

Combinações românticas

LIBRA E LIBRA é uma boa combinação em que pode às vezes faltar um pouco de paixão por ser tão harmoniosa e baseada em compatibilidade mental.

LIBRA E ESCORPIÃO têm muita atração inicial, mas a profundidade emocional de Escorpião e a sociabilidade de Libra podem trazer discórdias em um relacionamento de longo prazo. Eles podem ser um enigma um para o outro, mas a comunicação pode fazer a ponte.

LIBRA E SAGITÁRIO é uma parceria divertida e otimista, com um senso de humor semelhante que ajudará a superar quaisquer diferenças de abordagem, como a síndrome de Sagitário de falar as coisas erradas na hora errada e a diplomacia do libriano.

LIBRA E CAPRICÓRNIO são um par estável, com Capricórnio priorizando o trabalho e Libra o relacionamento, que se complementam bem.

LIBRA E AQUÁRIO é uma boa combinação que tem muito em comum e será uma parceria com um forte elemento de amizade.

LIBRA E PEIXES são uma parceria criativa e idealista em que pode faltar a conexão emocional de que Peixes precisa. Se isso puder ser resolvido então pode funcionar bem.

LIBRA E ÁRIES são signos opostos e têm abordagens muito diferentes, com Libra tendo mais a ver com trabalho em equipe e Áries sendo um individualista. Se Áries puder tentar se comprometer um pouco e Libra permitir que Áries assuma a liderança de vez em quando, o casal funcionará bem.

LIBRA E TOURO compartilham muitos traços de Vênus, pois ambos são regidos pelo planeta. Compartilham o amor pela harmonia e o luxo, por exemplo. Ambos valorizam a lealdade e ficarão bem juntos se Libra puder tolerar o pessimismo de Touro e se Touro souber que a natureza coquete de Libra é inata.

LIBRA E GÊMEOS são uma excelente parceria, com apenas a indecisão sendo um problema ocasional para ambos. Os dois adoram conversar e ser sociáveis, de modo que se divertirão muito juntos.

LIBRA E CÂNCER tendem a enfrentar alguns desafios, com Câncer precisando de proximidade emocional e Libra sendo mais leve e precisando de mais interação social. A lealdade mútua pode ajudar a unir o casal.

LIBRA E LEÃO são uma parceria encantadora, com ambos sendo afetuosos, brincalhões e sociáveis – existe uma possibilidade de que possam exagerar um pouco na diversão gastando dinheiro juntos.

LIBRA E VIRGEM costumam estar aparentemente em desacordo, com Libra sendo descontraído, descuidado e sociável e Virgem produtivo, sério e reservado, mas essa combinação na verdade se complementa e funciona bem.

ESCORPIÃO NO AMOR

Os escorpianos são intensos no amor e quase obsessivos, pois colocam tudo o que possuem nos relacionamentos, são dedicados e leais e desejam uma intimidade profunda. Precisam de um tempo sozinhos, apesar da necessidade de tal intimidade, e seus sentimentos são tão profundos que chegam a ter dificuldade em compartilhá-los.

Combinações românticas

ESCORPIÃO E ESCORPIÃO é uma combinação incrivelmente poderosa, intensa e dramática que pode revelar o melhor ou o pior um do outro, ou ambos em momentos diferentes. Se os dois se misturarem bem pode durar por toda a vida.

ESCORPIÃO E SAGITÁRIO são diametralmente opostos e terão que trabalhar para fazer dar certo o que pode ser uma poderosa atração inicial, com Escorpião diminuindo seu lado privado e sério e Sagitário desenvolvendo um pouco do mesmo.

ESCORPIÃO E CAPRICÓRNIO formam uma boa combinação, pois ambos trabalham duro, são reservados e valorizam a segurança. Cada um deles traz forças complementares ao relacionamento.

ESCORPIÃO E AQUÁRIO nem sempre estão destinados a conexões de longo prazo ou harmoniosas sem muitas concessões, apesar de uma forte atração. A intensidade de Escorpião e o desapego de Aquário podem causar conflito, mas, com trabalho para resolver as diferenças, pode funcionar.

ESCORPIÃO E PEIXES é uma parceria leal e emocionalmente unida, embora Peixes nem sempre ame a tendência de Escorpião de ser mais conflituoso. Ambos são mais espirituais e românticos e se entregarão ao outro de bom grado.

ESCORPIÃO E ÁRIES gostam de estar no controle, mas há muita paixão entre os dois. Ambos tendem a gostar de intensidade e com um pouco de comunicação pode funcionar.

ESCORPIÃO E TOURO são, em muitos aspectos, perfeitos um para o outro, pois o estilo mais tranquilo de Touro complementará a intensidade de Escorpião, e ambos têm valores semelhantes.

ESCORPIÃO E GÊMEOS é uma mistura interessante de energias, com Escorpião sendo profundo e Gêmeos gostando de manter as coisas leves. Cada um pode intrigar o outro o suficiente para continuarem explorando como poderiam funcionar juntos e muitas vezes efetivamente encontram uma maneira de fazê-lo.

ESCORPIÃO E CÂNCER são ambos profundamente emotivos, sensíveis e também possessivos, o que efetivamente funciona aqui, pois os dois se sentem seguros neste par.

ESCORPIÃO E LEÃO formam um relacionamento muito apaixonado e intenso, mas terão dificuldade em se comunicar sem entrar em conflito. No entanto, ambos geralmente gostam dessa relação de alta intensidade e isso os manterá interessados.

ESCORPIÃO E VIRGEM é uma combinação complementar e os dois funcionam bem juntos. Ambos gostam de um tempo sozinhos e podem facilmente construir confiança mútua.

ESCORPIÃO E LIBRA falam e vivem com propósitos opostos, mas têm uma atração entre si apesar disso. A privacidade e a intensidade de Escorpião confundem o despreocupado libriano, e a sociabilidade de Libra despertará a possessividade de Escorpião, mas a comunicação e o compromisso mútuo podem ajudar.

SAGITÁRIO NO AMOR

Sagitário no amor tem um alto nível de energia e é cheio de entusiasmo e diversão. Costuma-se dizer que Sagitário demora a se comprometer, mas isso é só porque está explorando para encontrar alguém que possa manter o seu interesse. Quando se apaixonam são, em geral, extremamente leais. São mais atraídos por aqueles que têm ambição e determinação.

Combinações românticas

SAGITÁRIO E SAGITÁRIO é uma parceria divertida, apaixonada e exploratória. Ambos adoram viajar e encontrar novas experiências e fazem isso com entusiasmo. Praticidade e conexão emocional podem causar alguns problemas.

SAGITÁRIO E CAPRICÓRNIO pode ser uma boa conexão porque a praticidade de Capricórnio pode compensar os excessos de Sagitário, enquanto o parceiro sagitariano apreciará a ambição do capricorniano.

SAGITÁRIO E AQUÁRIO é uma combinação visionária, sendo ambos voltados para objetivos e dispostos a explorar novas ideias. Esta é uma parceria divertida.

SAGITÁRIO E PEIXES são um par em que existe atração, mas alguns compromissos precisam ser feitos. É necessário buscar um equilíbrio entre a energia extrovertida e espontânea de Sagitário e a energia reservada e tímida de Peixes, mas pode funcionar com o tempo.

SAGITÁRIO E ÁRIES têm muito em comum e podem formar uma equipe de alta energia que desfrutará de atividades em conjunto. Muito aventureira com alguma volatilidade em virtude da franqueza de Sagitário e da necessidade de Áries de sempre liderar, mas no geral é uma boa combinação.

SAGITÁRIO E TOURO têm alguns desafios a superar, pois a passividade e estabilidade de Touro pode frustrar o agitado Sagitário. No entanto, o taurino traz uma base e rotina para o, às vezes, volúvel sagitariano, e Sagitário traz espontaneidade e otimismo à mistura.

SAGITÁRIO E GÊMEOS é uma combinação em que podem se divertir muito juntos, embora possa ser um pouco instável, já que ambos gostam de mudanças. Os dois gostam de explorar

Compatibilidade por aspecto

Os aspectos entre os planetas nos dois mapas astrais em relacionamento também devem ser levados em consideração. Isso se aplica ainda a aspectos entre diferentes planetas e ângulos, e não apenas aos signos solares.

O que descrevemos a seguir é em termos gerais – observe que nenhum é bom ou ruim, pois aqueles que nos desafiam em um relacionamento podem nos motivar a crescer e desenvolver, desde que seja um desafio saudável.

Os planetas em signos adjacentes podem ter dificuldade em "ver" uns aos outros, pois diferem por dia e noite, elemento e modalidade.

Os planetas em signos que estão em sextil entre si são harmoniosos, pois compartilham energia do dia ou da noite.

Os planetas em signos que estão em quadratura entre si são mais desafiadores, porque são sempre energia do dia e da noite, embora compartilhem uma modalidade.

Os planetas em signos que estão em trígono entre si são harmoniosos, pois compartilham o mesmo elemento e a energia do dia ou da noite.

Os planetas em signos que estão em inconjunção entre si são mais desafiadores, pois são sempre energia do dia e da noite e menos compatíveis por elemento e modalidade.

Os planetas em signos opostos compartilham uma modalidade e são ambos do dia ou da noite, mas ligeiramente menos compatíveis por elemento, embora os dois sejam geralmente capazes de complementar suas forças opostas.

intelectualmente e debater, e ambos têm grande senso de humor. É um relacionamento leve e divertido.

SAGITÁRIO E CÂNCER têm alguns desafios por causa da mistura do canceriano sensível e emocional com o sagitariano rude e bastante insensível, mas divertido. Ambos são muito obsessivos e, assim, se houver atração, eles tenderão a resolver as coisas.

SAGITÁRIO E LEÃO formam um casal intenso, apaixonado e divertido com potencial para durar uma vida inteira, especialmente se Sagitário puder controlar a honestidade brutal que pode ferir o orgulho de Leão.

SAGITÁRIO E VIRGEM são uma estranha mistura de compatibilidade intelectual com diferenças emocionais, porque Virgem é reservado e introvertido, em geral, e Sagitário é extrovertido. Essa combinação pode melhorar com o tempo.

SAGITÁRIO E LIBRA formam uma parceria cheia de diversão e agitação social. Se Libra puder superar o fato de que Sagitário se preocupa pouco com as aparências, a relação funcionará bem.

SAGITÁRIO E ESCORPIÃO são uma combinação desafiadora, porque Sagitário gosta de liberdade e não tem a intensidade emocional de Escorpião. No entanto, os dois se acharão fascinantes, de modo que as diferenças podem ser resolvidas com o tempo.

CAPRICÓRNIO NO AMOR

Os capricornianos demoram a se apaixonar, preferindo ser amigos primeiro – mas uma vez que as coisas se desenvolvam eles são estáveis e dedicados a criar uma vida com o parceiro. Realmente precisam de alguém que entenda sua dedicação em construir uma base financeira segura e, geralmente, uma carreira. Nem sempre são emocionalmente afetuosos, sobretudo no início dos relacionamentos.

Combinações românticas

CAPRICÓRNIO E CAPRICÓRNIO funcionam realmente bem juntos, pois ambos compartilham ambição, uma ética de trabalho semelhante e uma natureza reservada. Tem potencial para ser um relacionamento estável e duradouro.

CAPRICÓRNIO E AQUÁRIO podem enfrentar desafios, pois Capricórnio gosta de objetivos e planos sólidos e Aquário é muito independente e prefere objetivos de longo prazo sem um plano definido para chegar lá. No entanto, ambos são determinados e isso pode ajudar a estabelecer um compromisso.

CAPRICÓRNIO E PEIXES são uma boa parceria, já que Capricórnio traz praticidade e Peixes traz apoio criativo e emocional.

CAPRICÓRNIO E ÁRIES não são a combinação mais fácil, já que Capricórnio é um construtor paciente e adora a estabilidade e Áries gosta de ação dinâmica e é impulsivo, mas o par pode ser muito bem-sucedido se nenhum tentar controlar o outro.

CAPRICÓRNIO E TOURO são uma parceria fabulosa com valores compartilhados na maioria das áreas da vida, e a ambição de Capricórnio combina bem com as tendências caseiras de Touro. Os dois são muito compatíveis.

CAPRICÓRNIO E GÊMEOS são uma mistura de estabilidade reservada e sociabilidade instável, o que pode significar diferenças. Se os dois se dispuserem a aprender com o outro sem críticas, podem se encontrar no meio e ter respeito mútuo e compreensão.

CAPRICÓRNIO E CÂNCER são uma mistura de coisas. Pode ser uma parceria leal com uma necessidade compartilhada de segurança e lar estável, mas Câncer precisa de muito afeto e

Capricórnio deve conscientemente optar por demonstrá-lo. Encontrar-se no meio do caminho é o segredo.

CAPRICÓRNIO E LEÃO são ambos teimosos e, caso haja atração, significa que vão ter que trabalhar juntos para conciliar o fato de Capricórnio ser mais reservado e pessimista e Leão ser mais extrovertido e otimista, com cada um aprendendo com o outro.

CAPRICÓRNIO E VIRGEM são um par muito pé no chão e reservado, com muitas compatibilidades. Ambos gostam de estabilidade e de trabalhar duro.

CAPRICÓRNIO E LIBRA são uma parceria com diferenças de perspectiva, com Capricórnio sendo estável, perseverante e uma pessoa econômica e Libra extrovertido e perdulário. Porém não são diferenças irreconciliáveis.

CAPRICÓRNIO E ESCORPIÃO são uma boa parceria, em que cada um desperta o melhor do outro. Ambos têm maneiras semelhantes de trabalhar e objetivos que funcionarão bem juntos.

CAPRICÓRNIO E SAGITÁRIO são uma parceria em que as diferenças podem se complementar, apesar do que parecem ser abordagens opostas, com Capricórnio cauteloso e Sagitário precipitado em tudo o que faz.

AQUÁRIO NO AMOR

Aquário no amor é empenhado e muito atencioso, embora não afetuoso, e leva um tempo para chegar ao ponto do compromisso. Os aquarianos são intelectuais e gostam de longas conversas sobre grandes ideias com seus parceiros. Têm uma autoconfiança inata, que é muito atraente para os outros.

Combinações românticas

AQUÁRIO E AQUÁRIO são ambos tão intransigentes e emocionalmente distantes que há pouca profundidade emocional no relacionamento. No entanto, podem também decidir que concordam em ser mais amigos do que qualquer outra coisa.

AQUÁRIO E PEIXES é uma combinação incomum, com Aquário sendo um pensador radical e Peixes intuitivo e espiritual, e isso pode trazer desafios, pois a pessoa de Peixes pode não ter suas necessidades emocionais atendidas. No entanto, ambos são profundamente humanitários e isso pode uni-los.

AQUÁRIO E ÁRIES acham um ao outro estimulante e empolgante e formam uma boa combinação que olha com otimismo para o futuro. Compartilham um grande senso de humor.

AQUÁRIO E TOURO é uma combinação improvável com muitas diferenças, mas ambos têm perseverança, o que pode contribuir para um relacionamento estimulante que pode uni-los.

AQUÁRIO E GÊMEOS é um verdadeiro encontro de mentes e uma combinação muito dinâmica. Essa parceria terá muita variedade, diversão e uma vida social animada.

AQUÁRIO E CÂNCER provavelmente descobrirão que o estado emocional desapegado do aquariano não atende às necessidades do canceriano emocionalmente carente. Isso significa que os dois terão que se comunicar muitas vezes sobre suas diferenças para que a relação funcione a longo prazo.

AQUÁRIO E LEÃO não têm muito em comum, mas isso não os impedirá de achar esse relacionamento estimulante e empolgante, o que pode ajudar muito a conseguirem se encontrar no meio.

AQUÁRIO E VIRGEM são um par intelectual com pontos fortes

diferentes que podem complementar um ao outro, com Virgem aprendendo a abraçar um pouco de caos e Aquário a ser um pouco mais organizado.

AQUÁRIO E LIBRA formam um par adorável, com ambos desfrutando de uma boa vida social e de estímulo mental.

AQUÁRIO E ESCORPIÃO é uma combinação difícil e intensa que pode funcionar se o aquariano aprender a demonstrar algum afeto e o escorpiano aprender a confiar no parceiro.

AQUÁRIO E SAGITÁRIO é uma combinação divertida e os dois vão viver muitas aventuras juntos.

AQUÁRIO E CAPRICÓRNIO é uma combinação mais difícil que pode funcionar se ambos usarem a determinação mútua para resolver as diferenças, sendo a principal o fato de Capricórnio gostar de estabilidade e segurança, que não são prioridades para o aquariano.

PEIXES NO AMOR

Quando se apaixona, Peixes busca uma conexão altamente espiritual e intuitiva no amor. Os piscianos adoram amar o parceiro e fazer com que ele se sinta a pessoa mais especial do mundo, porque para o pisciano o ser amado efetivamente o é. Eles são uma alma gentil e sincera, o que pode fazer com que sejam facilmente feridos por pessoas menos sensíveis.

Combinações românticas

PEIXES E PEIXES é uma combinação tão boa que talvez nunca consigam realizar nada prático em sua união de mundo dos sonhos.

PEIXES E ÁRIES pode funcionar se Áries aprender a ter um pouco de paciência com o parceiro sonhador. Se o fizer, Peixes será um apoio incrível.

PEIXES E TOURO são uma boa combinação, pois ambos compartilham um amor de romance e lealdade, com Touro fornecendo a base e Peixes a imaginação em suas vidas.

PEIXES E GÊMEOS são muito adaptáveis e isso pode, com o uso da comunicação, ajudar a superar algumas diferenças significativas de abordagem. Peixes deseja uma grande conexão emocional e Gêmeos gosta de mantê-la leve.

PEIXES E CÂNCER é uma parceria muito amorosa e romântica – funcionam juntos em compatibilidade quase psíquica.

PEIXES E LEÃO têm muito potencial como casal se Leão absorver o amor e a admiração de Peixes, evitar qualquer desejo de controlá-lo e trabalhar para compreender a natureza sensível do parceiro.

PEIXES E VIRGEM são signos opostos e podem se atrair ou repelir. O segredo é a integração da natureza onírica e romântica de Peixes com a praticidade de Virgem.

PEIXES E LIBRA são um par muito criativo e amoroso se os dois conseguirem superar a necessidade libriana de ser social e a necessidade pisciana de ficar mais em casa.

PEIXES E ESCORPIÃO é uma combinação incrível com uma profunda conexão emocional, o que traz uma forte sensação de segurança a esses dois signos sensíveis.

PEIXES E SAGITÁRIO são muito flexíveis e amam enfatizar áreas filosóficas de fé e crença. Formarão um casal se conseguirem equilibrar a natureza introvertida de um com a extrovertida do outro.

PEIXES E CAPRICÓRNIO são uma mistura fabulosa de bom senso e devaneio que combina muito bem.

PEIXES E AQUÁRIO podem funcionar bem juntos se conseguirem chegar a um acordo sobre o estilo emocional desapegado do aquariano e a sensibilidade emocional do pisciano.

A astrologia é um assunto infinitamente fascinante em que há sempre mais para aprender. Com o uso cuidadoso deste livro você será capaz de compreender seu mapa astral com muito mais profundidade, utilizando uma abordagem e uma linguagem mais inclusivas.

PRINCIPAIS CONCLUSÕES E
APÊNDICES ASTROLÓGICOS

PARTE 4

CAPÍTULO 13

Conclusão

ESPERO QUE ESTE LIVRO tenha lhe dado uma nova percepção e uma compreensão mais profunda das principais áreas da astrologia, bem como uma nova maneira de ver esse conhecimento, em termos não binários.

Tradicionalmente, os termos astrológicos de gênero se baseiam em mitos e arquétipos patriarcais em conformidade com o binário. Um excelente exemplo disso é o planeta Saturno. Na mitologia, Saturno era o deus da agricultura, riqueza e geração, e o reinado de Saturno era descrito como um tempo de abundância e paz. Todas essas características são muito yin, ou femininas, mas Saturno tem sido retratado em grande parte da astrologia como uma energia muito masculina.

Outro exemplo: o símbolo que representa Capricórnio, a cabra com cauda de peixe, é muitas vezes retratado apenas como a cabra, que é mais yang, e deixa de fora a cauda de peixe yin (a parte "marinha" da "cabra marinha").

Se isso parece confuso – e é –, acredito que se deve ao fato de a sociedade patriarcal ter valorizado o masculino e desvalorizado o feminino a tal ponto que muito da linguagem utilizada pelas interpretações tradicionais da astrologia se tornou binária e tendenciosa. Nos mitos em que se baseiam nossas interpretações astrológicas, as deusas femininas eram retratadas como desordeiras malvadas e vingativas ou como encrenqueiras enfadonhas e insípidas, ao passo que os deuses masculinos eram em geral retratados como heróis ou líderes. Não estou totalmente convencida de que os mitos começaram assim e há muitas reivindicações por um retrato mais matizado.

Algo que sei com certeza é que os mitos são histórias criadas para representar partes da natureza humana. Após milhares de anos vivendo sob um sistema patriarcal, podemos ver como o binário se reflete em nossa narrativa. A necessidade humana de certeza e definição nos fez ver finitude e polaridade onde pode haver, na realidade, conexão e integração.

Talvez seja a hora, portanto, de pensar em mudar a linguagem completamente para que a representação do masculino como bom e claro e do feminino como mau e escuro desapareça. A nova linguagem leva em conta que existem qualidades boas e más tanto no masculino quanto no feminino e abre espaço para definir uma pessoa como mais do que apenas um ou outro.

Utilizando essa nova linguagem, você poderá olhar para seu mapa astral e ter uma visão mais holística de si mesmo, compreendendo-se como um indivíduo com características que não são nem "boas" nem "ruins".

Com o advento da astrologia moderna os astrólogos têm se afastado do uso de "bom" e "ruim", mas precisamos ir mais além e deixar de usar os termos "masculino" e "feminino". Isso nos abre para uma compreensão totalmente nova do mapa.

Este livro pede, portanto, que você entre em um espaço mais criativo e imaginativo, para sentir as teias da conectividade que se estendem por todas as coisas vivas, incluindo o Universo. E também para sentir o pulso, a inalação e a exalação de tudo o que existe em sua multiplicidade e não linearidade. O livro o convida a focar o entrelaçamento e não a dissociação com que temos abordado os espaços astrológicos por milênios.

As últimas eras astrológicas, Peixes e Áries, têm sido patriarcais por natureza e valorizado a energia do dia em vez da energia da noite. A linguagem utilizada em todos os mitos e assuntos como a astrologia tem refletido essa natureza, valorizando a energia extrovertida, do "fazer", em vez da energia receptiva e intuitiva.

Ninguém sabe o que a era astrológica de Aquário trará, mas Aquário é um signo que representa entrelaçamento e conectividade. Seu símbolo descreve ondas, talvez a teoria das ondas quânticas, ondas de espírito ou energia; os outros regentes do signo, Saturno e Urano, representam uma curiosa mistura do antigo e do ultramoderno, do conservador e do inovador. Aquário também é energia de grupo, outra forma de conectividade, e retrata os direitos e causas humanitárias. Aquário é visionário e futurista.

Como estamos às portas de uma nova era astrológica é apropriado que comecemos a olhar para a linguagem e a abordagem da astrologia de uma nova maneira, mais inclusiva e conectada. Os movimentos e ciclos dos planetas permanecem inalterados, naturalmente, mas como tenho dito ao longo do livro, são nossas percepções e nossa linguagem que devem mudar. Na filosofia grega o conceito por trás de *Logos* ("palavra" em grego) é o princípio divino que permeia um universo ordenado. Sugere que a linguagem tem sido utilizada há muito tempo para dar sentido ao que não entendemos. Portanto, devemos agora pensar de forma diferente e usar uma linguagem diferente para entrar na nova era.

Aqui está um convite para pensar de forma diferente e começar a sentir o universo vivo dentro de você, um convite para enxergar as energias do dia e da noite dentro de cada um. Este livro é para todos.

GLOSSÁRIO

ÂNGULOS: ascendente (ASC), descendente (DSC), meio do céu (*medium coeli* – MC) e fundo do céu (*imum coeli* – IC), que se referem às cúspides da primeira, sétima, décima e quarta casas, respectivamente.

ASCENDENTE (ASC): a cúspide da primeira casa, também conhecida como signo ascendente; o ponto que está surgindo no horizonte oriental no momento e no local de nascimento.

ASPECTOS: relações angulares entre pontos no mapa astral.

ASTEROIDES: pequenos objetos rochosos orbitando o Sol.

CASAS: as 12 divisões de um mapa astral, cada uma regendo diferentes áreas da vida.

CÚSPIDE: o início de uma casa no mapa astral ou onde um signo acaba e outro começa.

DECANATOS: subdivisões de cada signo astrológico em incrementos de 10º.

DESCENDENTE: cúspide da sétima casa no mapa astral, diretamente oposto ao ascendente.

DOMÍNIO: um signo em que um planeta está mais forte.

ECLÍPTICA: uma linha imaginária no céu que marca a trajetória anual do Sol, uma projeção da órbita da Terra que também marca a linha ao longo da qual ocorrem os eclipses.

ELEMENTOS: fogo, terra, ar e água.

GLIFOS: símbolos utilizados para representar os signos astrológicos, planetas, luminares e aspectos.

HEMISFÉRIO: plano ou linha que divide a esfera celestial ao meio, horizontal ou verticalmente.

LUMINARES: o Sol e a Lua.

MEIO DO CÉU: a cúspide da décima casa do mapa astral, o ponto mais alto no zodíaco no momento do nascimento e a área mais pública do mapa.

NODOS: os dois pontos em que a Lua, ou outro planeta, cruza a eclíptica.

ORBE: número de graus a partir do grau exato entre aspectos.

PLANETAS PESSOAIS: planetas internos e luminares que têm um efeito mais direto sobre a personalidade – o Sol, a Lua, Mercúrio, Vênus e Marte.

RECEPÇÃO MÚTUA: quando dois planetas ocupam cada um o signo que o outro rege.

REGENTES PLANETÁRIOS: os planetas que regem cada signo.

RETRÓGRADO: movimento aparente para trás de um planeta sob a ótica da Terra.

SIGNO SOLAR: o signo em que o Sol está no nascimento.

SIGNOS CARDINAIS: Áries, Câncer, Libra, Capricórnio.

SIGNOS DA ÁGUA: Câncer, Escorpião, Peixes.

SIGNOS DA TERRA: Touro, Virgem, Capricórnio.

SIGNOS DO AR: Gêmeos, Libra, Aquário.

SIGNOS DO FOGO: Áries, Leão, Sagitário.

SIGNOS FIXOS: Touro, Leão, Escorpião, Aquário.

SIGNOS MUTÁVEIS: Gêmeos, Virgem, Sagitário, Peixes.

TRÂNSITO: movimento contínuo dos corpos planetários em relação ao horóscopo.

TABELAS ASTROLÓGICAS

TABELA DO SOL

SIGNO	SÍMBOLO	DATAS APROXIMADAS	PLANETAS REGENTES	ENERGIA
Áries	♈	21 mar – 20 abr	Marte	Dia/Inalação
Touro	♉	21 abr – 20 mai	Vênus	Noite/Exalação
Gêmeos	♊	21 mai – 20 jun	Mercúrio	Dia/Inalação
Câncer	♋	21 jun – 20 jul	Lua	Noite/Exalação
Leão	♌	21 jul – 20 ago	Sol	Dia/Inalação
Virgem	♍	21 ago – 20 set	Mercúrio	Noite/Exalação
Libra	♎	21 set – 20 out	Vênus	Dia/Inalação
Escorpião	♏	21 out – 20 nov	Marte – Tradicional Plutão – Moderno	Noite/Exalação
Sagitário	♐	21 nov – 20 dez	Júpiter	Dia/Inalação
Capricórnio	♑	21 dez – 20 jan	Saturno	Noite/Exalação
Aquário	♒	21 jan – 20 fev	Saturno – Tradicional Urano – Moderno	Dia/Inalação
Peixes	♓	21 fev – 20 mar	Júpiter – Tradicional Netuno – Moderno	Noite/Exalação

TABELA DOS PRINCIPAIS ASPECTOS

PLANETA NESTE SIGNO	PROCURA POR OPOSIÇÕES EM...	PROCURA POR QUADRATURA EM...	PROCURA POR SEXTIS EM...	PROCURA POR TRÍGONOS EM...
Áries	Libra	Câncer, Capricórnio	Gêmeos, Aquário	Leão, Sagitário
Touro	Escorpião	Leão, Aquário	Câncer, Peixes	Virgem, Capricórnio
Gêmeos	Sagitário	Virgem, Peixes	Leão, Áries	Libra, Aquário
Câncer	Capricórnio	Áries, Libra	Virgem, Touro	Escorpião, Peixes
Leão	Aquário	Touro, Escorpião	Gêmeos, Libra	Áries, Sagitário
Virgem	Peixes	Gêmeos, Sagitário	Câncer, Escorpião	Touro, Capricórnio
Libra	Áries	Câncer, Capricórnio	Leão, Sagitário	Gêmeos, Aquário
Escorpião	Touro	Leão, Aquário	Virgem, Capricórnio	Câncer, Peixes
Sagitário	Gêmeos	Virgem, Peixes	Libra, Aquário	Áries, Leão
Capricórnio	Câncer	Áries, Libra	Escorpião, Peixes	Touro, Virgem
Aquário	Leão	Touro, Escorpião	Áries, Sagitário	Gêmeos, Libra
Peixes	Virgem	Gêmeos, Sagitário	Touro, Capricórnio	Câncer, Escorpião

TABELA PLANETÁRIA

	SIGNO REGIDO	EXALTADO	DETRIMENTO	QUEDA	DIA OU NOITE
Sol	Leão	Áries	Aquário	Libra	Dia
Lua	Câncer	Touro	Capricórnio	Escorpião	Noite
Mercúrio	Gêmeos e Virgem	Virgem	Sagitário e Peixes	Peixes	Gêmeos – Dia Virgem – Noite
Vênus	Touro e Libra	Peixes	Áries e Escorpião	Virgem	Touro – Noite Libra – Dia
Marte	Áries e Escorpião	Capricórnio	Libra e Touro	Câncer	Áries – Dia Escorpião – Noite
Júpiter	Sagitário e Peixes	Câncer	Gêmeos e Virgem	Capricórnio	Sagitário – Dia Peixes – Noite
Saturno	Capricórnio e Aquário	Libra	Câncer	Áries	Capricórnio – Noite Aquário – Dia
Urano	Aquário	Escorpião	Leão	Touro	Dia
Netuno	Peixes	Câncer	Virgem	Capricórnio	Noite
Plutão	Escorpião	Leão	Touro	Aquário	Noite

TABELA DOS DECANATOS

SIGNO	PRIMEIRO DECANATO 0°-9°	SEGUNDO DECANATO 10°-19°	TERCEIRO DECANATO 20°-29°
Áries	Marte/Áries	Sol/Leão	Júpiter/Sagitário
Touro	Vênus/Touro	Mercúrio/Virgem	Saturno/Capricórnio
Gêmeos	Mercúrio/Gêmeos	Vênus/Libra	Saturno e Urano/Aquário
Câncer	Lua/Câncer	Marte e Plutão/Escorpião	Júpiter e Netuno/Peixes
Leão	Sol/Leão	Júpiter/Sagitário	Marte/Áries
Virgem	Mercúrio/Virgem	Saturno/Capricórnio	Vênus/Touro
Libra	Vênus/Libra	Saturno e Urano/Aquário	Mercúrio/Gêmeos
Escorpião	Marte e Plutão/Escorpião	Júpiter e Netuno/Peixes	Lua/Câncer
Sagitário	Júpiter/Sagitário	Marte/Áries	Sol/Leão
Capricórnio	Saturno/Capricórnio	Vênus/Touro	Mercúrio/Virgem
Aquário	Saturno e Urano/Aquário	Mercúrio/Gêmeos	Vênus/Libra
Peixes	Júpiter e Netuno/Peixes	Lua/Câncer	Marte e Plutão/Escorpião

LEITURA ADICIONAL

ASTROLOGY FOR THE SOUL (ASTROLOGIA PARA A ALMA) por Jan Spiller (Bantam, 2009).

A LINGUAGEM SECRETA DOS ANIVERSÁRIOS: *Perfis de personalidade conforme o dia de nascimento* por Gary Goldschneider e Joost Elffers (Alegro, 2004).

THE INNER SKY: *How to Make Wiser Choices for a More Fulfilling Life* (O CÉU INTERIOR – Como fazer escolhas mais sábias para uma vida mais gratificante) por Steven Forrest (Seven Paws Press, 2012).

MODERN ASTROLOGY: *Harness the Stars to Discover Your Soul's True Purpose* (ASTROLOGIA MODERNA – Utilize as estrelas para descobrir o verdadeiro propósito de sua alma) por Louise Edington (Althea Press, 2018).

MISTÉRIOS DA LUA NEGRA: *Lilith, Kali, Hécate e a cura dos arquétipos femininos sombrios no mundo moderno* por Demetra George (Pensamento, 2021).

Para criar um mapa astral gratuito on-line:
ALABE.COM/FREECHART
ASTRO.CAFEASTROLOGY.COM/NATAL.PHP
ASTRO.COM (disponível em português)

Para encontrar seu ascendente:
ASTRO.COM

Aplicativos gratuitos de astrologia:
TIME NOMAD
TIMEPASSAGES

SOBRE A AUTORA

LOUISE EDINGTON estuda e pratica astrologia há 30 anos e escreve textos que orientam os leitores em sua vida diária. Ela gosta de todos os aspectos da astrologia profissional, mas sua principal paixão é ajudar os clientes a reconquistar uma profunda conexão com os ciclos do Universo para que encontrem aceitação e autoconhecimento. Louise fornece aconselhamento astrológico, dá aulas de astrologia e escreve artigos, além de oferecer apoio por meio da Cosmic Membership Community (Comunidade de Membros Cósmicos). Você pode saber mais sobre seu trabalho em louiseedington.com. O primeiro livro de Louise é *Modern astrology: Harness the Stars to Discover Your Soul's True Purpose* (Astrologia moderna – Utilize as estrelas para descobrir o verdadeiro propósito de sua alma).

Para saber mais sobre os títulos e autores da Editora Sextante,
visite o nosso site e siga as nossas redes sociais.
Além de informações sobre os próximos lançamentos,
você terá acesso a conteúdos exclusivos
e poderá participar de promoções e sorteios.

sextante.com.br